Annelies Schwarz
Hamide spielt Hamide

Dieser Band ist auf 100% Recyclingpapier gedruckt. Bei der Herstellung des Papiers wird keine Chlorbleiche verwendet.

Annelies Schwarz, 1938 in Böhmen geboren, besuchte in Gößnitz und Hannover die Schule. Sie studierte Pädagogik und Bildende Kunst. Heute unterrichtet sie an einem Bremer Schulzentrum. Ihr erstes Buch ›Wir werden uns wiederfinden‹ kam gleich in die Auswahlliste zum Deutschen Jugendliteraturpreis. Es folgte der Fortsetzungsband ›Die Grenze – ich habe sie gespürt!‹ und der vorliegende Band.
›Hamide spielt Hamide‹ wurde zum Buch des Monats der JU-BU-CREW, Göttingen, gewählt.

Annelies Schwarz

Hamide spielt Hamide

Ein türkisches Mädchen in Deutschland

Deutscher Taschenbuch Verlag

›Hamide spielt Hamide‹ erschien auch in schwedischer, dänischer und spanischer Sprache.

Originalausgabe
Bearbeitete Neuausgabe nach den Regeln der Rechtschreibreform
13. Auflage August 2001

www.dtvjunior.de
Umschlagkonzept: Jorge Schmidt und Tabea Dietrich unter Verwendung eines Fotos von Jan Roeder
Gesetzt aus der Garamond 11/13
Gesamtherstellung: Kösel, Kempten
Printed in Germany · ISBN 3-423-07864-2

Gewidmet allen,
durch die dieses Buch
entstehen konnte

1

Mit forschen Schritten geht Klaus Stock vor mir her, die schwarze Aktentasche unter den Arm geklemmt. Vor der Klassentür nimmt er noch mal Anlauf, weit holt er aus, öffnet die Tür. Jäh verstummt das Geräusch der lärmenden Kinder. Dr. Klaus Stock schließt die Tür mit Schwung. Ich höre laute Anordnungen, dann Ruhe drinnen. Mein Kollege Stock hat's geschafft. Sein Unterricht kann beginnen.

Ich muss noch weiter gehen, habe in der Klasse ein Stockwerk höher Unterricht. Kinderknäuel am oberen Flur. Sie wälzen sich am Boden, Beine, Arme ineinander verschlungen, lachen, quietschen, schreien, schlagen sich. Ich wundere mich, dass die siebte Klasse immer noch solche Balgereien liebt, stelle mich an die Klassentür und warte. Die Knäuel lösen sich auf; freundlich, strahlend und mit erhitzten Gesichtern laufen die Schüler an mir vorbei, belagern den einzigen Wasserhahn im Klassenraum, trinken, sprudeln, spritzen. Endlich liegen die Englischbücher auf den Tischen, und auch mein Unterricht kann beginnen.

Antje, die eifrige, meldet sich. Will sie vielleicht schon die Hausaufgaben vorlesen?

»Was ist, Antje?«, frage ich erwartungsvoll.

»Hamide weint«, sagt sie.

Leider kein Beitrag zum Unterrichtsstoff, sondern wieder ein Aufschub. Hamides Kopf liegt auf dem Tisch. Ich muss zu ihr hingehen, denn vor der Klasse wird sie mir bestimmt keine Antwort geben.

»Schlagt schon mal *chapter 9* auf und lest euch die Übung durch«, sage ich.

Nur widerwillig folgen die Schüler meiner Anordnung und ich höre, wie ein Schüler zu seiner Nachbarin sagt: »Die will sich nur wieder wichtig machen.«

Durch die eng aneinander stehenden Tischreihen zwänge ich mich zu Hamide durch: »Hamide, was hast du denn?«

Sie schaut nicht hoch, will mir nichts sagen.

»Sie hat Angst vor der nächsten Pause«, sagt Antje, ihre Banknachbarin, »weil sie von zwei Männern erpresst wird. Sie wartet schon den ganzen Vormittag auf sie.«

Spannende Geschichten hat Hamide schon immer erzählt, aber so eine Sache?

»Warum wird sie denn erpresst?«, frage ich.

»Einfach so, sie soll den Männern fünfzig Mark geben, sonst wird sie blau geschlagen, sagt sie.«

Antje gerät richtig in Eifer. Bisher hat sie sich

noch nie für Hamide eingesetzt, im Gegenteil, meist gibt es Streit zwischen den beiden. Heute ist es anders.

»Hamide muss den Männern jede Woche fünfzig Mark geben. Darum sind ihre Eltern auch zur Polizei gegangen. Und heute sind Detektive in der Schule, denen soll Hamide die Männer zeigen.« Antje scheint Bescheid zu wissen.

»Wenn die Erpresser von der Polizei gefasst werden, ist die ganze Sache vorbei«, sage ich, lege meine Hand auf Hamides Schulter und setze mich neben sie.

Hamide hebt endlich den Kopf. Sie sieht mich verweint an, legt dann die Arme um meinen Hals und drückt sich an mich. Voll Vertrauen und ohne Scheu tut sie das, wie ich es von deutschen Schülerinnen nie erlebt habe. »Aber es wird nicht gut, ich weiß das, es wird nicht gut, Frau Weißenbach«, sagt sie.

Die Klasse wird unruhig, aber Hamide drückt sich an mich und lässt mich nicht aufstehen. Achtundzwanzig Schüler sehen zu uns herüber.

»Stell dich nicht so an, Mensch«, ruft eine Stimme. »Die spinnt wohl wieder«, »blöde Kanakin«, rufen andere. Aggressionen gegen Hamide werden lauter, die Klasse wird mutiger im Erfinden von bösen Ausdrücken.

»Ich bin keine Kanakin!« Hamide springt auf und ruft laut und erregt in die Klasse: »Ich bin ein türkisches Mädchen!« und zu mir: »Das sagen die immer zu mir, die mögen mich nicht leiden, weil ich Türkin bin.«

Sie geht auf Thomas zu, der immer noch grinst, ergreift sein Englischbuch und schlägt es laut auf den Tisch. »Ich bin keine Kanakin!«

Die Schüler sind ruhig geworden, kein Lacher mehr, Stille, sie starren Hamide betroffen an. Ich bewundere Hamides Mut. Sie hat in der Klasse keine Freundin, keinen Freund. Hasan und Tamer, die beiden türkischen Jungen, machen sich nicht viel aus ihr. Sie lachen Hamide sogar laut mit aus, wenn es die deutschen Schüler tun. Ich kann das nicht verstehen, fast alle in der Klasse lehnen Hamide ab. Wenn sie im Unterricht eine richtige Antwort gibt, rufen sie: »Streber« und ist es falsch, sind sie schadenfroh.

»Lasst Hamide in Ruhe«, sage ich laut und für mich denke ich, Hamide braucht dringend einen Menschen als Freund.

Aber ich muss Unterricht geben, Übungen zum *past perfect* sind heute dran. Also vertröste ich Hamide auf ein Gespräch nach der Stunde und vergesse allmählich, was sie bedrückt. Ich lasse Hamide mit ihrer Angst allein.

Das betretene Schweigen der Klasse habe ich schnell benutzt um mit den Übungen im Buch zu beginnen. Zum Glück gehen die Schüler darauf ein, machen mit, froh darüber, dass nun alles wieder seine Ordnung hat. Sie halten sich an dem Buchtext fest, können ein bisschen mitmachen, ein bisschen träumen. So kriegen sie die Stunde am besten herum. Sabine hat Schwierigkeiten mit den unregelmäßigen Verben, Tamer kann absolut kein *th* sprechen, nun streikt er, lässt den Laut einfach aus, wenn er im Wort vorkommt; Claudia malt Anfangsbuchstaben auf den Tisch und zieht ein blaues Herz drum herum.

Hamide meldet sich überhaupt nicht. Ich sehe, wie sie etwas in ihrer Büchertasche sucht, den Kopf immer wieder unter der Tischplatte hat. Dabei stößt sie gegen ihre Federmappe. Ein paar Sachen fallen klirrend heraus, rollen über den Fußboden, bleiben neben Tamers Fuß liegen. Der stellt ihn drauf. Hamide springt auf, zerrt Tamers Fuß von den Sachen, nimmt sie an sich und setzt sich wieder. Sie ist unruhig. Ich versuche sie aus der Unruhe herauszuholen, sie am wenig aufregenden Unterrichtsstoff zu beteiligen, frage sie nach dem *past perfect* von *to dream.* Sie weiß es. Niemand sagt das in solchen Fällen übliche Wort: »Streber«. Hamide hört weiter zu, meldet sich jetzt dann und wann.

Viel zu früh beendet der Gong die Stunde. Schnell erledige ich die Eintragung ins Klassenbuch und sehe zu Hamides Platz hinüber. Leer, sie ist nicht mehr da, überhaupt nicht mehr im Klassenraum. Ich suche sie draußen auf dem Schulhof. Dort drüben, am Ende des gepflasterten Platzes, steht sie, redet mit zwei jungen Männern, zeigt mit den Armen in verschiedene Richtungen. Ich kann jetzt unmöglich zu ihr gehen, die nächste Klasse wartet.

Da stehen Tom und Enno an der Tür: »Frau Weißenbach, kommen Sie schnell, Torsten und Michael prügeln sich.«

Fünfundvierzig Minuten für die Eroberer Südamerikas, vermischt mit Ermahnungen an die Streithähne Torsten und Michael. Fünfundvierzig Minuten Fragebildung mit *to do* in der fünften Klasse und knappe vierzig Minuten Singen von englischen Volksliedern in der neunten Klasse, nachdem ich Frank das Feuerzeug abgenommen habe, mit dem er Freia ein Loch in die Jeans gebrannt hat.

Schulschluss für heute. Draußen liegt Sonne überm Hof. Ich atme tief durch. Geschafft! Zusammen gewesen mit einhundertzwanzig verschiedenen Kindern, mit ihnen gelernt, gesprochen, gesungen, sie ermahnt, gelobt, Fehler korrigiert, Streit geschlichtet, ermuntert, ein wenig getröstet. Ein Schulvormittag, alles inbegriffen, Massenabfertigung. Für niemanden hatte ich richtig Zeit. Fragen der Kinder habe ich nur ungenau beantwortet, hatte sie gar nicht eingeplant. Die Schüler sollten sich nach meinen richten, 120:1 am Vormittag! Das Zahlenspiel der Schule lässt neugierige Schülerfragen mit dem Anspruch auf eine richtige Antwort nicht zu.

Hamide! Ich hatte sie ganz vergessen. Wieder habe ich so ein Gefühl, dass an ihrer Geschichte irgendetwas nicht stimmt. »Es wird nicht gut«, hat sie gesagt, mit solch einem Nachdruck in der Stimme.

Da rollt ein Ball zwischen meine Füße. Ich gebe ihm einen Schubs zu den Jungen hin, die als letzte den Hof verlassen. Da vorn steigt Dr. Stock, Hamides Klassenlehrer, gerade in sein silbern blitzendes Auto. Ich winke ihm zu, bin froh, dass er wartet.

»Wissen Sie, wie das mit Hamide ausgegangen ist?«, frage ich meinen Kollegen über die heruntergekurbelte Scheibe.

»Ein Windei, sie hat sich die Erpresserstory mal wieder nur ausgedacht. Das Geld hatte sie zu Hause gestohlen.«

»Und was ist jetzt?«, frage ich erschrocken. »Ist sie nach Hause gegangen?«

»Die Detektive haben sie gleich mitgenommen. Da machen Sie sich mal keine Gedanken. Das regeln die Leute unter sich. Mit der Schule hat das ganze Theater jetzt nichts mehr zu tun.«

Hamide, ich habe sie im Stich gelassen.

»Wollen Sie mitkommen?«, höre ich Stocks Stimme.

Ich will nicht. Klaus Stock dreht die Scheibe hoch, gibt Gas. Silbern biegt er auf die Straße. Für ihn ist die Sache erledigt. Ich stelle meine Tasche mit den eingesammelten Hausheften der Kinder auf den Boden. Sie ist plötzlich so schwer geworden.

Es stimmt, Hamide hatte ihren Eltern regelmäßig Geld gestohlen, bis der Vater merkte, dass seine

Tochter der Dieb war. Aus Angst vor Schlägen und anderen Strafen hat sich Hamide die Erpressergeschichte ausgedacht. Am Ende hat sie die Geschichte selbst schon geglaubt. Aber das wollte ihr Vater genau wissen und hat die Polizei eingeschaltet.

Was hat Hamide mit dem Geld gemacht? Sie hat Kinder aus ihrer Klasse zu McDonald's eingeladen, ist mit ihnen durch die Kaufhäuser gezogen und hat ihnen kleine Dinge geschenkt. Hamide wollte sich Freunde kaufen. Freunde hat sie aber dadurch nicht gefunden, sie haben sich nicht kaufen lassen. Ab und zu war es Hamide gelungen, zu Antje oder Sonja mit nach Hause genommen zu werden um eine von ihr gekaufte Platte mit anzuhören. Aber das war auch alles. Und dennoch brachten ihr die Nachmittage im Kaufhaus weniger Alleinsein und darum nahm sie immer wieder Vaters Geld. Allmählich habe ich das aus Hamide herausbekommen, in langen Gesprächen nach der Schule.

Gerade heute verlassen wir gemeinsam das Schulgebäude. Es gießt. Ich nehme Hamide unter meinen Schirm, ein Stück haben wir den gleichen Weg. Von allen Seiten peitscht der Novemberwind den Regen gegen Gesicht und Beine. Hamide hat sich bei mir untergehakt.

»Ich habe meinen Eltern erzählt, wie alles gekommen ist, und ihnen versprochen, so etwas nie wieder zu tun«, sagt sie.

Da klappt mein Schirm plötzlich um, eine Windböe schlägt uns den Regen voll ins Gesicht. Hamide springt in einen Hauseingang und sagt dabei: »Ich habe nun sechs Wochen Stubenarrest.«

Ich versuche, den Schirm wieder gegen den Wind zu drehen. »So lange!«, sage ich betroffen und denke, dass Hamide dann nachmittags wieder ohne Schulfreunde zu Hause sitzt.

Jetzt kommt sie unter meinen Schirm zurück und hängt sich wieder bei mir ein. »Ich muss auf meinen kleinen Bruder Murat aufpassen.« Hamide sieht mich offen an, ihr regennasses Gesicht glänzt. »Mein Vater will nicht, dass die Deutschen sagen, türkische Mädchen stehlen. Er war so böse auf mich, das glauben Sie gar nicht.«

An der Straßenecke Meyer-Gastfeldstraße trennen wir uns.

»Tschüss bis morgen«, ruft Hamide. Sie rennt los, die Büchertasche als Regenschutz über ihrem langen, nassen Haar.

2

Heute ist ein nasskalter Dezembertag. Ich habe Pausenaufsicht auf dem Schulhof, friere und warte sehnsüchtig auf den Gong, der das Ende der Pause anzeigt. Antje, Hamide und Sonja laufen vor mir über den Hof. Sie jagen lachend hinter ein paar Jungen her. Hamide hat es geschafft, sie hat zwei Freundinnen gefunden. Allerdings zahlte sie wieder einen Preis dafür: Sie ließ ihre Nachbarinnen im Unterricht abschreiben. Ich habe weggesehen, wenn sie ihnen das Heft zuschob. Natürlich durften auch die anderen in dieser Zeit etwas schummeln, für Ausgleich musste gesorgt werden. Aber für diesen Erfolg nehme ich das gern in Kauf. Ich sehe es als eine fruchtbare Zusammenarbeit, auch wenn manche meiner Kollegen Abschreiben mit einer Sechs bestrafen.

Plötzlich hält mich von hinten jemand an den Schultern fest. »Wer bin ich?«, tönt es nah an meinem Ohr und Leberwurstbrotdünste schlagen mir entgegen.

»Axel«, sage ich. Ich weiß, dass Axel so was gern macht, gern Kontakt sucht, aber immer versteckt, von hinten.

Ich drehe mich blitzschnell um und wirble ihn um mich herum. Er ist viel zu leicht für seine zehn Jahre. Ich setze ihn ab. Da, ein Pfiff über den Hof, aufgeregte Rufe, türkische Worte, die ich nicht verstehe. Schon laufen sie, Achmed, Hassan, Ali und andere türkische Jungen, die ich nicht mit Namen kenne. Ich folge ihnen zur Mauer hin. Dort hat sich ein dichter Halbkreis aus Kindern aufgebaut, lässt gerade so viel Platz, wie zwei zum Prügeln brauchen.

»Gib's ihm, los, immer drauf!«

Zwei Parteien, hier Deutsche, dort Türken, die die beiden Jungen anfeuern.

Die Zuschauer haben ihren Spaß an der Prügelei. Noch kann ich nicht erkennen, wer sich da schlägt, wer den Kopf von wem in den Schwitzkasten nimmt.

»Cemal und Frank«, sagt Axel, der wieder neben mir steht.

Jetzt kann ich sie erkennen. Cemal und Frank aus der neunten Klasse.

»Das reicht jetzt, aufhören!«, höre ich mich sagen.

Zum Glück lassen jetzt die Anfeuerungsrufe nach, aber der Kampf geht verbissen weiter. Wenn ich dazwischen gehe, bekomme ich selbst etwas ab, kann mich auch nicht mit den Kräften der beiden messen. Aber ich mag nicht länger zusehen, wie Frank die Luft abgedrückt wird, sehe Blut, gehe nun doch auf sie zu, versuche, Cemal von hinten wegzuziehen. Schaffe es nicht.

»Lassen Sie mal, ich mache das, das können Sie nicht«, höre ich neben mir sagen.

Ali redet mit kurzen türkischen Sätzen auf Cemal ein. Plötzlich sind auch zwei deutsche Jungen da, die Frank wegziehen.

Verschmiert und rot im Gesicht stehen sich Cemal und Frank schwer atmend gegenüber, festgehalten von ihren Freunden. Aus Cemals Mund läuft ein dünnes Rinnsal Blut, über Franks Auge wächst eine Beule.

»Ich finde es Klasse, dass ihr aufgehört habt«, sage ich, während mir das Herz bis zum Hals schlägt. Noch ein paar Drohgebärden der beiden, aber sie gehen nicht mehr aufeinander los. Frank zieht sich zurück mit einem: »Nachher krieg ich dich.«

Die Zuschauer zerstreuen sich, es lohnt nicht mehr, dabei zu sein, der Kampf ist vorbei.

Die türkischen Jungen reden laut auf Cemal ein. Cemal wischt sich das Blut vom Kinn, gibt kurze türkische Antworten. Ich kann von all dem nichts verstehen; außer *merhaba,* das heißt: guten Tag, kann ich kein türkisches Wort.

»Warum hast du dich mit Frank geprügelt?«, frage ich.

Cemal sieht weg, gibt mir keine Antwort.

»Er hat ihn beleidigt«, sagt Ali, »das lässt sich Cemal nicht gefallen.«

Cemal winkt den anderen, geht zum Schulhaus, umringt von seinen Freunden, verschwindet im Gebäude.

Zündstoff liegt in der Luft. Im Lehrerzimmer wird oft von Schlägereien zwischen deutschen und türkischen Jungen gesprochen. Ich wollte es nie so recht glauben, weil ich sie meist friedlich in Grüppchen zusammen auf dem Schulhof sehe. Sie spielen miteinander Ball, deutsche, türkische, portugiesische, polnische Kinder. Da sondern sich schon eher einige türkische Mädchen ab, die mit den Kopftüchern, und gehen nur für sich auf dem Schulhof herum.

Ich muss mich beeilen, bin die letzte, die in das Schulhaus geht. Was wäre aus der Prügelei geworden, wenn mir Ali und die deutschen Jungen nicht zu Hilfe gekommen wären? Ich wage nicht, mir das auszudenken.

3

Ich habe eine Theatergruppe gegründet. Ihr gehören Schüler aus der siebten und der neunten Klasse an. Seit einigen Wochen arbeiten wir gemeinsam. Wir denken uns wirklichkeitsnahe Situationen aus, die die Kinder dann nachspielen. Das macht Spaß und manche Schwierigkeit des Alltags wird beim Spielen aufgearbeitet.

Heute spielt Torsten einen Hausbesitzer, Antje eine sechzehnjährige Wohnungssuchende.

»Ich habe gehört, dass bei Ihnen eine Wohnung frei wird«, so eröffnet Antje die Szene, »mein Freund und ich möchten da gern einziehen.«

»Sie?«, nimmt Torsten den Dialog auf, »verdienen Sie denn überhaupt schon?«

»Ich nicht, ich geh noch zur Schule, aber meine Eltern wollen die Miete bezahlen.«

»Wie alt sind Sie denn?«

»Sechzehn, mein Freund ist neunzehn, er lernt Dachdecker.«

Torsten antwortet nicht, er schweigt eine Weile.

»Was soll ich darauf sagen?«, ruft er mir dann von der Bühne herunter zu. »Von mir aus könnten die ja ruhig einziehen, aber ich glaube nicht, dass ein Hausbesitzer das so ohne weiteres zulässt. Unserer bestimmt nicht!«

»Dann spiel den doch mal«, rufe ich zurück.

Torsten setzt sich in Pose. »Also, nun hören Sie mal gut zu. Unser Haus ist kein Kindergarten. Was sagen die anderen Mieter, wenn so junge Leute wie Sie ohne Eltern hier wohnen!«

»Wir tun doch keinem was.«

»Aber der Krach, die Partys, und überhaupt! Na ja, ich war ja schließlich auch mal jung.«

»Aber?«

»Tut mir Leid, auf Wiedersehn!«

Antje droht dem Hausbesitzer mit der Faust, lacht dabei und setzt sich an der Seite zu den übrigen Spielern auf den Bühnenboden. Jeder von ihnen spielt einen Wohnungssuchenden. Ich bin gespannt, wer die Wohnung bekommen wird und wessen Argumente den Hausbesitzer überzeugen.

Piet ist an der Reihe. Er spielt die Rolle eines türkischen Vaters und sucht für seine große Familie eine Wohnung.

Ausgerechnet in dem Augenblick zieht die Putzfrau ihre laut surrende Bohnermaschine über den Linoleumfußboden der Halle. Ich kann nicht verstehen, was Piet sagt. Erst als Bohnermaschine und Putzfrau um die Ecke verschwinden, höre ich Torsten, den Hausbesitzer, sagen: »Nein, nein, ich habe wirklich nichts gegen Sie, aber hier im Haus hat noch nie ein Ausländer gewohnt, das könnte Ärger geben.«

»Wir machen keinen Ärger, wir sind saubere Leute und ich habe eine gute Arbeitsstelle. Sagen Sie bitte nicht nein, ich suche schon so lange nach einer Wohnung. «

Piet gibt nicht so schnell auf, das sehe ich. Torsten wird nachdenklich. Er will Bedenkzeit, schickt den türkischen Mann noch einmal fort, bespricht sich mit seiner Frau. Die schlägt vor, mehr Miete zu verlangen, wenn eine türkische Familie einzieht. Für den Ärger, der ihr bevorsteht, will sie wenigstens etwas haben. Der Mann kommt wieder, fragt noch einmal. Torsten spielt den Gönnerhaften. Dem Türken gelingt es, den Mietaufschlag noch etwas herunterzuhandeln. Er bekommt die Wohnung. Das Spiel ist aus, die anderen Wohnungssuchenden haben keine Chance mehr.

Da schießt mir ein Gedanke durch den Kopf. Diese Szene könnte der Anfang eines längeren, richtigen Theaterstücks werden: Menschen aus zwei verschiedenen Lebensräumen treffen in einem deutschen Mietshaus aufeinander, sollen plötzlich miteinander auskommen. Schaffen sie es? Wie schaffen sie das? Wird die türkische

Familie heimisch werden? Welche Vorurteile müssen auf beiden Seiten überwunden werden? Da könnten die Schüler doch einmal Wirklichkeit darstellen, ihre eigene Wirklichkeit. Wie einen Spiegel würden wir das Spiel den Zuschauern vorhalten, sie beeindrucken und zum Nachdenken bringen.

Ich steige die kleine Treppe zur Bühne hinauf, setze mich zu den Schülern auf den Boden, und tatsächlich, sie lassen sich von meiner Idee anstecken, kommen sogar gleich mit tollen Vorschlägen:

Die türkische Familie muss viele Kinder haben, die anderen Mieter wenige; es soll Streit geben zwischen deutschen und türkischen Kindern, keiner versteht die Sprache des anderen; Beschwerden, zu laute türkische Musik, Knoblauchgestank im Treppenhaus, Freundschaft zwischen einem türkischen Mädchen und einem deutschen Jungen; im Haus wird gestohlen, die Türken werden verdächtigt! Wenigstens ein Deutscher müsste zu den Türken halten. Ideen über Ideen. Ein richtiger Mietshauskrimi soll es werden!

Ich begeistere mich an der Begeisterung der Schüler. Wir spüren es alle, hier entsteht etwas, das uns alle angeht.

»Wir brauchen aber auch türkische Schüler zum Mitspielen«, sagt Chris, »dann wird alles viel echter.«

»Und die können uns auch sagen, was sie wirklich von uns denken«, meint Antje. Antje hat da schon eine Menge Erfahrungen mit Hamide gemacht.

Hamide! Ja, die muss mitspielen! Rollenspiel liegt ihr, das habe ich oft genug in der Klasse bemerkt. Und in dieser Theatergruppe mitspielen, das würde ihr gut tun. Antje will Hamide fragen, Torsten wird Erdogan fragen, Ute glaubt, dass Sevta mitmachen würde.

Und Ali, Cemal, Ertan? Die Großen aus der neunten Klasse? Niemand aus der Spielgruppe hat engen Kontakt zu ihnen. Aber jeder will versuchen, wenigstens einen türkischen Mitschüler anzusprechen, ihm Lust auf das Theaterstück zu machen und ihn, wenn es geht, das nächste Mal mitzubringen.

Auf dem Nachhauseweg mache ich meine Gemüseeinkäufe nicht wie so oft im Supermarkt. Heute kaufe ich die Auberginen und Tomaten bei Celiks, im türkischen Laden. Dort verkauft Ayla. Vor zwei Jahren ist sie von unserer Schule abgegangen, sie kennt mich flüchtig. Während sie für mich dunkle Oliven abwiegt, muss ich immer wieder auf ihr grünes Kopftuch schauen. Kleine, hellgrüne, am Rand angenähte Stoffglöckchen umrahmen ihr Gesicht.

»Hübsch ist das Tuch«, sage ich, »es passt gut zu deinem Haar.«

»Meine Mutter hat es genäht«, sagt sie voll

Stolz. Sie steht neben der Waage und sieht mich strahlend an.

Mehr zu kaufen hatte ich nicht vor, doch der Schafskäse verlockt mich. Ayla holt ein Stück aus der scharfen Salzlauge und legt es noch tropfend auf das Papier auf der Waage.

»Meine Kinder essen ihn gern«, sage ich.

»Ja, ja, extra prima!«, höre ich eine Männerstimme aus dem Ladeninneren. Dort, hinter dem Fleischtresen, steht lachend Aylas Vater und nickt mir zu.

Mit einem dicken Bleistift rechnet Ayla die Preise auf dem Einwickelpapier zusammen, nennt die Summe, zählt mir das Wechselgeld auf die Hand. Wir verabschieden uns wie gute Bekannte.

Man könnte fast denken, dass die Celiks sich hier in Deutschland heimisch fühlen. Seltsam, auf der Straße fallen mir heute die türkischen Frauen in ihren fast knöchellangen Mänteln und geblümten Kopftüchern mehr auf als sonst. Viele sind es, die eilig an mir vorbei durch die Straße gehen, ihre Kinder an der Hand führen und schwere Einkaufstüten tragen.

4

Heute, in seiner freien Zeit, ist Ertan, der große Bruder von Melek, mit in die Schule gekommen. Er ist 22 Jahre alt und längst kein Schüler mehr, sondern Schichtarbeiter. Er will sehen, was seine kleine Schwester am Nachmittag in der Schule macht. Er will auch wissen, was für eine Sache das Theaterstück ist. Seine Skepsis weicht, er sagt uns sogar beim Stückschreiben seine Hilfe zu, will öfter kommen, und am liebsten würde er sogar selbst mitspielen. Er findet es gut, dass wir uns in der Schule über das Zusammenleben von Türken und Deutschen Gedanken machen. Wer weiß denn in Deutschland schon, meint er, warum ganze Familien der Gastarbeiter nachkommen, und er fängt zu erzählen an: »Das ist fast in allen Familien so: Der Vater ist erst mal mit dem ältesten Sohn in die Bundesrepublik gekommen um hier zu arbeiten. Später holt er seine Frau und die anderen Kinder nach. Bei uns war es auch so. Wir waren schon drei Jahre hier und jetzt ist Mutter mit Melek nachgekommen.«

Melek sitzt neben ihrem Bruder, sie kann kaum Deutsch sprechen, ist erst seit zwei Monaten in Deutschland und hier in unserer Schule. Als sie Ertan ihren Namen sagen hört, sieht sie auf. Hamide, Sevim und Sevta nicken zu den Worten Ertans. Sie alle sind gekommen um mit den deutschen Schülern ein gemeinsames Stück zu bauen und zu spielen.

»Woher soll die türkische Familie denn kommen? Aus einer großen Stadt wie etwa Izmir oder sogar Istanbul oder aus einem anatolischen Dorf?«, frage ich in die Schülergruppe hinein.

Chris und Antje finden, dass die Türken aus Istanbul stammen sollten, denn auf die Großstadt Istanbul sind die Türken stolz.

»Aber auf dem Land, in Anatolien, ist die Arbeitslosigkeit am größten, von dort kommen die meisten«, sagt Ertan.

Sevta, die neben Sonja sitzt und kurz geschnittenes, dauergewelltes Haar trägt, wartet schon lange darauf, etwas zu sagen. »Ich will nicht aus Anatolien kommen wie eine Landfrau mit Kopftuch, ich komme auch in Wirklichkeit aus Istanbul, da sind wir modern, so wie hier. Ich will nicht, dass die Deutschen denken, die Türkei ist nur Anatolien und arm.« Sevta lehnt sich in ihrem Stuhl zurück. »Ja, dann finden die uns alle bescheuert.«

Ich sehe ein Problem auf uns zukommen. Natürlich wollen die türkischen Schüler ihre Armut nicht auf der Bühne zur Schau stellen, sie sind froh, dass sie ihr entronnen sind, und doch muss der Grund für die große Wanderung der türkischen Familien nach Deutschland klar herauskommen.

Ich blicke Hamide an, frage: »Wie siehst du das?«

»Ich komme auch aus Istanbul, aber meine Oma kommt aus einem Dorf. Mir ist es gleich, ich spiele auch ein türkisches Mädchen aus Anatolien. Ich finde, Ertan hat Recht. Wenn die meisten von dort kommen, müssen wir das auch so spielen. Anatolien ist schön. Ich habe keine Angst mehr, dass die Deutschen mich auslachen.«

Die deutschen Schüler aus der Gruppe hören staunend bei dem Gespräch zu. Ich freue mich, Hamide so reden zu hören. Sie hat sich in ihrer Klasse durchgesetzt, so dass sie nun ganz zu ihrer Herkunft stehen kann. Sie wirkt geradezu selbstsicher.

»Ich spiele mit«, hatte sie gleich gesagt, als Antje ihr vom Theaterstück erzählte, und zu mir sagte sie später beim ersten Gruppentreffen: »Ich diktiere Ihnen einfach all das, was in einer türkischen Familie gesprochen wird, weil Sie das ja nicht wissen können.«

Hamide will ein türkisches Mädchen spielen, das wie sie auf eine deutsche Schule geht; Sevta wird überredet, die Mutter zu spielen, sie will aber kein Kopftuch tragen. Melek soll die Schwester von Hamide sein. Aber wer spielt den Vater, wer den Bruder? Wo bleiben nur Cemal, Ali, Erdogan?

»Sie wollten heute kommen«, sagte Hamide, »aber ich glaube, sie schämen sich.«

Ich kann mir kaum vorstellen, dass sich die türkischen Jungen aus der neunten Klasse schämen.

Wir warten ab, wollen erst einmal den Text aufschreiben.

Ertan gibt der türkischen Spielfamilie den Namen Öztürk. »Das ist so ein Name wie Meyer, er kommt öfter vor«, sagt er.

Er setzt sich mit den Mädchen Sevta, Melek, Hamide und Sevim an einen Tisch. Sie wollen ein Gespräch aufschreiben, das die Familie Öztürk auf ihrer Reise in die Bundesrepublik führt.

Antje, Chris, Torsten, Piet und Sonja setzen sich an einen anderen Tisch und überlegen sich die Namen für die deutschen Hausbewohner. Sie denken sich aus, wie diese auf die Nachricht, dass die neuen Mieter Türken seien, reagieren werden.

»Da hinter der Säule stehen Cemal und Ali«, ruft Chris auf einmal. Er hat sie erspäht und läuft zur Tür. »Kommt herein, wir brauchen euch«, sagt er.

Verlegen lachend kommen sie langsam näher, die Starken, die Großen aus der neunten Klasse. »Wir wollen erst mal schauen, ob auch Jungen mitspielen, nicht nur Mädchen«, sagen sie, dann setzen sie sich zu uns.

»Aber die anderen werden uns auslachen, weil wir nicht so gut Deutsch können«, sagen sie widerstrebend.

Ich merke, dass sie gern mitspielen würden, aber ihre Angst vor einer Blamage ist größer.

»Wir proben so oft, dass ihr eure Angst verliert«, sage ich.

Ertan spricht mit den Jungen türkisch.

»Wir bleiben erst mal«, sagt Ali schließlich. Das macht die Anwesenheit des schon erwachsenen Ertan.

›Vielleicht bleiben sie‹, denke ich. Aber sicher bin ich nicht.

Zunächst einmal setzen sie sich an den Tisch der Türken. Da wird weitergeschrieben. Nach einer Weile verteilt Hamide die Rollen. Eng an sie gedrängt, lesen sie den Text. Cemal erklärt sich nach vielen Bitten bereit, den Vater zu lesen.

Melek kann ihren Text nicht richtig sprechen. »Vater...«, weiter kommt sie nicht, Deutsch ist für sie noch zu schwer. Hamide liest ihr den Text langsam vor. Melek wiederholt. »Vater, warum kann ich nicht in der Türkei bleiben, warum muss ich nach Deutschland?«, sagt sie schließlich schleppend.

Und der Vater antwortet: »Melek! Du weißt es doch, ich habe es dir schon oft gesagt: Ich brauche euch in Deutschland, dich, Hamide und Mutter. Ohne euch bin ich einsam, mein Zimmer ist leer ohne meine Familie. Ohne euch war ich traurig, viele Jahre.«

Cemals Stimme klingt weich, er liest den Text langsam, Wort für Wort. Deutsch lesen fällt ihm schwer. Aber er ist mit Ernst bei der Sache. Kaum zu glauben, dass dieser gleiche Cemal vor ein paar Wochen in eine schlimme Prügelei verwickelt war.

»Ich will nicht, dass du traurig bist, Vater. Aber du hast doch meinen Bruder Achmed bei dir«, sagt Melek mit Hamides Hilfe.

Und jetzt geht es Schlag auf Schlag:

Hamide: »Die deutschen Kinder lachen mich aus, wenn ich ihre Sprache nicht verstehe.«

Vater: »Du gehst dort in die deutsche Schule und wirst die deutsche Sprache lernen. Niemand wird dich auslachen.«

Mutter: »Aber ich habe Angst vor Deutschland.«

Vater: »Du brauchst keine Angst zu haben, wir sind ja alle zusammen.«

Melek: »Vater, gibt es in Bremen Schafe und Ziegen und Wiesen, auf denen sie weiden?«

Vater: »Nein, die gibt es in der Stadt nicht. Dort führen die Leute Hunde an der Leine spazieren.«

Melek: »Das ist lustig. Das möchte ich sehen.«

Mutter: »Wo soll ich das Wasser holen für die Wäsche? Gibt es dort einen Brunnen vor dem Haus?«

Achmed: »Ihr werdet staunen, in Bremen gibt es in jeder Wohnung Wasserhähne, aus denen warmes und kaltes Wasser fließt. Da brauchst du nicht erst auf die Straße zu gehen, Mutter.«

Ali liest die Rolle des Achmed fließend, man kann merken, dass er schon ein paar Jahre in Deutschland lebt.

Mutter: »Aber wo werde ich die anderen türkischen Frauen treffen, wenn ich nicht zum Brunnen gehen kann?«

Keine Antwort von Achmed und Vater.

Da sagt Hamide nachdenklich: »Wir werden in die Rolle hineinschreiben, dass sie die türkischen Frauen in ihre Wohnung einladen kann.«

Es geht weiter:

Melek: »Wann fahren wir wieder zurück in die Türkei?«

Vater: »Zurück?«

Melek: »Ja, wann?«

Vater: »Bald, bald, wenn wir genug Geld gespart haben. Wenn ich einen Lieferwagen in der Türkei kaufen kann, dann fahren wir zurück. Dann kann ich zu Hause das Geld für uns alle verdienen.«

Hamide sieht auf und sagt: »Ja, bis hierher haben wir es geschafft, die nächste Szene muss in Deutschland spielen, am besten vor dem deutschen Mietshaus.«

»Jetzt müsst ihr hören, wie die Stimmung unter den deutschen Mietern ist, bevor die Familie Öztürk einzieht«, sagt Antje zur Türkengruppe gewandt, »wir haben uns auch etwas Tolles ausgedacht. Mal sehen, wie ihr das findet!«

5

Unser Theaterstück wächst und wächst. Die ersten Szenen sind geschrieben und werden geprobt.

Melek kommt in der letzten Zeit ohne Ertan zur nachmittäglichen Theatergruppe. Er weiß ja, was wir machen; sie darf mitspielen, er hat seine Zustimmung gegeben. Wie wichtig ist es doch für ein türkisches Mädchen, dass ihr älterer Bruder mit ihrem Tun einverstanden ist. Unvorstellbar für die deutschen Schüler der Theatergruppe, dass der Bruder bestimmt, was die Schwester machen darf und was nicht.

»Meiner Schwester könnte ich nichts verbieten«, sagt Chris, »sie würde nicht auf mich hören.«

Und Torsten fragt Hamide, ob sie auch einen älteren Bruder habe.

»Auf mich passt mein Vater auf«, antwortet sie, »er weiß aber nicht, dass ich Theater spiele, das würde er niemals erlauben; auch weil Ali und Cemal dabei sind. Mein Vater denkt, dass dies meinem Ruf schaden würde und dass ich später keinen Mann bekäme.«

»Und was sagst du zu ihm, wenn er fragt, was du nachmittags in der Schule machst?«, frage ich.

»Ich sage nur, ich habe Schule, ich habe Deutsch.«

›Sie umgeht die Wahrheit‹, denke ich. ›Wieder ist sie ihrem Vater gegenüber nicht ehrlich. Irgendwann wird er es herausbekommen und was dann?‹

Ob ich mit dem Vater sprechen soll, frage ich sie.

»Nein, tun Sie das auf gar keinen Fall. Meine Mutter weiß, wo ich bin, und sie sagt auch nichts zu ihm.«

Hamide hat Angst vor ihrem Vater. Sie will alles vermeiden, was seinen Zorn hervorruft, und doch tut sie, was sie will. Wie lange kann sie dieses Spiel durchhalten?

Hamide will mir heute nach dem Unterricht eine neue Szene bringen. Ich soll sie kennen, bevor sie am Nachmittag den anderen Spielern ausgeteilt wird.

Ich warte im Klassenraum auf Hamide. Noch sind Andi und Udo da, gießen die Blumen. Ich setze mich auf Monikas Platz, sehe nach vorn an die Tafel, registriere die ungewohnte Stille.

Andi lacht. »Frau Weißenbach als Monika«, sagt er.

Ich hole den Spieltext aus meiner Mappe, überfliege die bisherigen Szenen, lasse mir die Handlung noch einmal durch den Kopf gehen.

Nach ihrer langen Reise ist Familie Öztürk in das Mietshaus eingezogen. Erste, vorsichtige Kontakte zwischen Oma Berger, einer freundlichen Hausbewohnerin, und Hamide, Melek und Frau Öztürk werden geknüpft. Auch Herr Beifuß, der Hausmeister, hat Verständnis für die Familie aus dem fernen Anatolien.

Aber Irmi und Gunda, zwei allein stehende Frauen im Haus, werden von Frau Hallmann gegen die Türken aufgehetzt. Sie bestärken sich gegenseitig in ihren Vorurteilen, und Dieter, Frau Hallmanns Sohn, soll Unterschriften gegen die Türken in dem sauberen deutschen Haus sammeln. Doch Oma Berger lehnt es entschieden ab, so etwas Dummes zu unterschreiben, und die beiden jungen Männer, Olaf und Heino aus dem ersten Stock, trinkfreudige Mopedfans, immer ohne Geld, unterschreiben auch nicht. Sie befürchten, dass so eine Unterschriftenaktion auch mal gegen sie gestartet werden könnte. »Die da unten können uns doch auch nicht leiden«, sagen sie zueinander.

Inzwischen wird Hamide in der deutschen Schule angemeldet und trifft dort auf Dieter, Frau Hallmanns Sohn.

Am Abend des ersten Schultages fragt Herr Öztürk nach Hamides Erlebnissen in der Schule.

Währenddessen planen Olaf und Heino einen Diebstahl. Sie wollen die Unbeliebtheit der Türken im Haus zu ihren Gunsten ausnützen. Wie sich aber das alles im Stück weiterentwickelt und wie alles ausgehen soll, das wird die Spielgruppe in den nächsten Wochen ausarbeiten. Wir haben noch viel zu tun.

Wo bleibt nur Hamide? Sie müsste längst da sein. Hat sie unsere Verabredung vergessen?

Draußen höre ich laute Stimmen. Und jetzt öffnet Hamide die Tür: »Nun komm schon, Sevta, du musst das selber Frau Weißenbach sagen.«

Sie schubst Sevta herein, ein mir noch unbekanntes türkisches Mädchen folgt.

»Hallo, Hamide und Sevta, was gibt's?«, frage ich erstaunt.

»Los, Sevta, sag schon«, drängelt Hamide.

»Ich spiel nicht mehr mit, ich hab's mir überlegt ... die Deutschen denken bestimmt, ich bin noch rückständig«, sagt Sevta.

»Aber du bist doch nicht in Wirklichkeit so wie die Mutter auf der Bühne, das wissen doch alle«, antworte ich.

Es nützt nichts, entweder sie kann sich ganz mit ihrer Rolle identifizieren oder sie spielt gar nicht. Eine neue Erfahrung für mich. Da sind deutsche Schüler anders. Sie sind bereit, jede Rolle zu spielen, wenn sie ihnen Spaß macht; auch dann, wenn sie ganz entgegengesetzter Meinung sind.

»Aber was machen wir in unserem Stück ohne Mutter?«, frage ich.

»Yildiz spielt die Mutter«, sagt Hamide, »ich habe sie gleich mitgebracht. Deshalb komme ich auch so spät.«

»Und dir macht es nichts aus, die Mutter aus Anatolien zu spielen?«, frage ich Yildiz.

»Wir kommen auch aus Anatolien und meine Mutter trägt auch heute noch ein Kopftuch. Aber in der Schule brauche ich keins mehr zu tragen, nur zu Hause, wenn Besuch kommt.«

›Also völlige Übereinstimmung zwischen eigenen Erfahrungen und dem Theaterstück‹, denke ich, ›dann wird es gehen.‹ Laut sage ich: »Na gut, wenn ihr euch einig seid, kann Yildiz die Rolle spielen.«

Sevta verabschiedet sich, geht zur Tür. »Ich darf doch bei den Proben zugucken?«, fragt sie zurück, bevor sie hinausgeht.

Darüber freue ich mich.

Hamide zieht ein paar voll gekritzelte Blätter aus der Tasche und legt sie vor mich auf den Tisch.

»Das hab ich alles in der Nacht geschrieben, weil es mein Vater nicht sehen darf. Es ist ein bisschen geschmiert, soll ich es Ihnen vorlesen?«

Ich finde es gut, wenn Hamide selbst liest. Sie lehnt sich gegen die Tafel und beginnt.

Mutter: »Hamide war heute in der Schule.«

Vater: »Gut, hat sie erzählt, wie es war?«

Mutter: »Sie hat nicht viel gesagt, ich glaube, sie ist traurig.«

Vater: »Wo ist sie denn? Melek, hol sie herein!«

Melek: »Hamide! Komm zu uns, Vater will mit dir sprechen!«

Hamide tritt einen Schritt vor, lässt das Blatt, von dem sie abgelesen hat, sinken. Sie spricht den Text frei:

»Ich will nicht.«

Vater: »Was willst du nicht?«

Hamide: »Ich will nicht mehr in die deutsche Schule gehen. Ich will überhaupt nicht mehr hingehen. Ich will wieder zu Oma nach Hause in die Türkei.«

Sie macht eine Pause, dann:

»Die Lehrer hier sind keine richtigen Lehrer, sie sind überhaupt nicht streng. Sie schimpfen nicht, wenn es im Unterricht laut hergeht, sie schimpfen nicht einmal, wenn die Kinder mich ärgern. Und alle ärgern mich. Sie können mich nicht leiden, weil ich Türkin bin.«

Was Hamide da sagt, kommt mir bekannt vor. Sie spricht weiter und ihre Stimme wird lauter:

»Sie lachen mich aus, wenn ich was sage, sie lachen mich aus, weil ich das Kopftuch umhabe. Niemand will neben mir sitzen. Sie behandeln mich, als wäre ich etwas Böses. Ich trage als Einzige in der Klasse ein Kopftuch. Sevim, das andere türkische Mädchen, trägt keins, sie wird nicht geärgert. Wenn ich ohne Kopftuch gehen könnte, dann würden auch mich die Kinder in Ruhe lassen.«

Mutter: »Das war am ersten Tag, du wirst dich an die Schule gewöhnen.«

Hamide: »Nein, Mutter, das verstehst du nicht. Am schlimmsten ist der Junge aus dem Haus hier, der Dieter, er hat ›Öztürk, Kotztürk‹ zu mir gesagt und mir das Kopftuch heruntergerissen. Ich will nicht mehr in die Schule gehn!«

Hamide hält inne und sieht mich fragend an.

»Gut, dass das für dich nun alles ganz anders geworden ist«, sage ich leise.

Hamide nickt.

6

Cemal steht vor mir, den Kopf gesenkt. Er hat mich aus dem Lehrerzimmer herausgeholt. Er spricht langsam, jedes Wort mit Bedacht: »Ich soll jetzt gleich zurück in die Türkei, weil ich in Deutschland als Ausländer keine Lehrstelle kriege. Das sagt mein Vater, und ich muss tun, was mein Vater will.«

Cemal ist einen guten Kopf größer als ich, sein Körper ist stark wie der eines Mannes, aber er lässt die Schultern hängen.

»Es ist wegen der Ausländerfeindlichkeit«, fügt er leise hinzu.

»Ich bin traurig, wenn du gehst«, sage ich, »nicht nur, weil wir dann keinen Vater mehr für unser Stück haben.«

In Cemals Augen schimmern Tränen. Er dreht sich um und geht fort. Ich sehe ihm nach, wie er den Schulhof überquert, zum letzten Mal, mit nach vorn gebeugtem Rücken und eingezogenem

Kopf: der sonst so stolze Cemal. Vorn, vor dem Ausgang, stößt er einen Stein mit dem Fuß. Hart prallt er gegen die Mauer. Cemal richtet sich auf, hebt den Kopf aus den Schultern und überquert die Straße.

Er ist fort.

Der türkische Schüler Cemal aus der neunten Klasse wird nicht mehr in diese Schule gehen, wird nicht mehr im Theaterstück die Einreise einer türkischen Familie in die Bundesrepublik spielen. Er wird ausreisen. Morgen schon soll er mit seinem Onkel in die Türkei zurückfahren. Sein Vater hat sich dazu entschieden, ohne Cemal zu fragen, ob er will oder nicht, ohne zu warten, bis Cemal wenigstens den Hauptschulabschluss in Deutschland bekommen hat.

Mitten aus dem Schuljahr wird Cemal herausgerissen, weil sein Vater es will, weil sein Onkel zufällig jetzt mit dem Auto in die Türkei fährt und ein Haus für die Familie bauen will.

›Sie brauchen Cemal als Arbeitskraft‹, geht es mir durch den Kopf, ›und der Vater erklärt dem Sohn, dass er in Deutschland keine Chancen habe.‹

Ich spüre, wie Wut in mir hochkommt, Wut gegen die türkischen Väter, die ihren Kindern Entscheidungen aufzwingen, die sie entwurzeln. Zuerst von der Türkei nach Deutschland, dann mitten aus dem Schuljahr zurück in die Türkei. Ausländerfeindlichkeit schiebt der Vater vor, aus persönlichen Gründen!

Aber je länger ich nachdenke, desto mehr weicht die Wut einem Mitgefühl. Hat der Vater nicht doch Recht? Not und Hunger zwangen ihn einst, die Türkei zu verlassen, und er fand in Deutschland Arbeit. Heute wird sein Sohn jedoch hier kaum mehr eine Lehrstelle bekommen, gibt es doch für die deutschen Schüler schon nicht genug Ausbildungsplätze. Die Ausländerfeindlichkeit unter den Deutschen wächst. Er wird sie oft genug am eigenen Leib gespürt, oft genug die an die Wände geschmierten Parolen »Ausländer raus« gelesen haben. Angst und Sorge waren es, die den Vater den Entschluss fassen ließen, Cemal zurückzuschicken. Und Cemal wird es schaffen, er ist stark. Er wird sich wieder zurechtfinden in den neuen alten Verhältnissen in seinem Land. Das alles geht mir auf dem Heimweg von der Schule durch den Kopf.

Ohne es recht zu merken, bin ich schon zu Hause angelangt. Ich lege den Mantel ab und schiebe die Kassette mit der türkischen Musik, die auf einem Saz-Instrument gespielt wird, in den Recorder. Ich lege mich auf den Teppich um ganz entspannt zuhören zu können. Ich habe noch etwas Zeit mit den Vorbereitungen für das Mittagessen meiner drei eigenen Kinder, die will ich nützen. Schwermütig klingt die Melodie des Saz-Spielers durch das Zimmer. Diese Musik soll die Szenen des Theaterstücks miteinander verbinden, während die Spieler das nächste Bild aufbauen.

7

Hamide ist seit einer Woche krank. Sie liegt mit starken Kopfschmerzen im Krankenhaus. Niemand weiß, wann sie wieder die Schule besuchen kann, niemand weiß, ob sie wieder zu den Theaterproben kommen wird.

Und ihre Freundin Yildiz berichtet aufgeregt: »Hamides Vater hat herausbekommen, dass sie Theater spielt. Das hat ihn furchtbar aufgeregt und er hat Hamide das Theaterspielen verboten. Sie soll jetzt nachmittags auf ihre beiden kleinen Brüder aufpassen.«

Das hat Hamide nicht verkraftet. Jetzt ist mir klar, warum sie krank geworden ist. Wenn Hamide nicht mehr kommt, fehlt das Feuer, das wärmt. Ohne Hamide ist das Stück leer. Sie war die Hauptfigur und steckte die anderen Spieler mit ihrer Begeisterung an. Wir brauchen sie.

Aber darf ich sie überhaupt wieder zum Theaterspielen verlocken, gegen den Willen ihres Vaters? Habe ich nicht bereits ihr Leben so sehr erschwert, dass sie die Konflikte nicht mehr aushalten kann?

Und Melek? Auch sie darf nicht mehr mitspielen. Ich kann es nicht begreifen, kann ihren Bruder Ertan nicht verstehen, der uns doch so zugetan war. Melek geht jetzt wieder in die Koranschule, gerade in der Zeit, in der wir Theater spielen. Seit kurzem trägt sie wieder ein Kopftuch, tief in die Stirn gezogen.

»Mein Bruder sagt, genug gespielt, jetzt nicht mehr…«, antwortet sie auf meine Fragen, langsam, die deutschen Wörter kommen noch immer schwer aus ihrem Mund. Beim Reden schaut sie mich nicht an wie sonst. Ihr Blick weicht mir aus. Ich besitze ihr Vertrauen nicht mehr.

Was mag in ihr vorgehen? Welche Gespräche mögen bei ihr zu Hause geführt worden sein, gegen uns, gegen sie? Sie hatte sich in der Gruppe so wohl gefühlt, sprach von Mal zu Mal besser Deutsch und wurde immer lebendiger. Ich frage sie, ob das Verbot vielleicht mit der Kopftuch-Szene zu tun habe. Sie antwortet mir nicht. Und auf meinen Vorschlag, noch einmal mit Ertan darüber zu sprechen, sagt sie nur: »Er kommt nicht, er muss arbeiten.«

Ich frage Melek nicht weiter, lasse sie in Ruhe. Sevta, Hamide, Cemal und jetzt auch Melek, sie alle entziehen sich uns. Und ich dachte, sie brauchen mich, brauchen uns, die Theatergruppe. Dachte, wir könnten ihnen helfen, sich uns besser verständlich zu machen, sich mit den deutschen Schülern besser zu verstehen.

Ich habe sie offenbar nicht verstanden, habe geglaubt, sie denken und handeln wie die deutschen Schüler. Ich habe sie in Konflikte gestürzt, die sie nicht aushalten konnten, Hamide, Melek, Sevta. Und Cemals Sorgen habe ich überhaupt nicht erkannt, sein Leben ist mir bis heute fremd geblieben.

Wir werden das Theaterstück hier abbrechen, nicht weiterspielen, nicht mehr proben, keine neuen türkischen Mitspieler suchen. Es wird keine Spielnachmittage mit deutschen und türkischen Schülern mehr geben.

Ich spüre ganz deutlich, dass mir diese Spielnachmittage sehr fehlen werden. Ich merke, dass ich die Schüler gebraucht habe, für mich war es wichtig, mit ihnen zusammen zu sein und mit ihnen etwas zu machen.

8

»Lass dich bald wieder sehen« und »Komm gut nach Haus!«, rufen sie mir nach. Ute, meine Freundin, und ihr Freund Jens stehen in der Tür zur kleinen Weberei und winken.

Es ist Sonntagabend.

Ich steige ins Auto, winke zurück, biege in die vom Frühlingsregen noch nasse Straße ein, die zur Autobahn führt.

Noch spüre ich den guten Geschmack von Knoblauchbrot, in Ei gewälzt und goldbraun gebacken, auf der Zunge. Das Rezept hatte mir früher schon mal Hamide verraten. Heute habe ich es als türkischen Leckerbissen für meine Freunde zubereitet. Und dazu gab es Joghurt aus dicken Tonbechern, auch einer von Hamides Vorschlägen.

Ein Geräusch von draußen schreckt mich aus meinen Gedanken auf. Da fliegen plötzlich zwei Reiher vom Straßenrand auf. Schwer heben sie sich in die Luft. Ich muss bremsen, sonst streifen sie mein Auto.

Im letzten Sommer war mir ein Graureiher vor den Kühler geflogen, er stürzte und fiel tot auf den Grasstreifen neben der Straße. Mein kleiner Sohn hatte das mit angesehen. Er war von dem Tod des großen schönen Vogels so überwältigt, dass er ausstieg, sich neben ihn setzte und weinte. Ich möchte nie wieder einen Vogel totfahren und bin auf der Hut. Die Reiher drehen eine große Runde über den Weiden. In der Ferne hebt sich eine Schar Möwen vom Feld. Ich gebe wieder Gas, entferne mich weiter vom kleinen Dorf am Weserdeich. Die Abendsonne im Rücken, fahre ich in eine goldschimmernde, flache Landschaft hinein, fort von der Küste, Bremen zu.

Einen langen, erholsamen Sonntag habe ich mit meinen Freunden an der Küste verbracht. Als ich heute früh ankam, waren Jens und Ute damit beschäftigt, Berge von brauner und weißer Schafwolle zum Trocknen auf der Wiese vor dem Haus auszubreiten.

Die beiden sahen mir entgegen: »Na, was sagst du, das haben wir heute schon alles gewaschen!«

»Toll!«, sagte ich und fasste mit beiden Händen in die feuchten weißen Wollberge hinein. »In der Türkei wird vor dem Scheren die ganze riesige Schafherde durch einen Bach getrieben, dann ist die Wolle schon fast sauber«, fuhr ich fort und erinnerte mich an Cemal, der mir das mal erzählt hatte.

»Ja, in der Türkei«, kam es von Ute, »bei uns gibt es nur die Badewanne dafür. Sag mal, kannst du nur noch an die Türkei denken? Jedes Mal, wenn du hierher kommst, erzählst du von dort. Deine türkischen Schüler müssen es dir ja ganz schön angetan haben.«

»Das stimmt, sie beschäftigen mich sehr«, antwortete ich nachdenklich.

»Und wie steht's mit eurem Theaterstück?«, fragte Jens in die eingetretene Stille.

»Wir spielen nicht mehr«, sagte ich, »die meisten türkischen Schüler kommen nicht mehr zu den Proben.« Und ich erzählte ihnen alles von Sevta, Melek, Cemal und Hamide.

Meine Freunde waren genauso ratlos wie ich.

Nach einer guten Stunde halte ich vor meiner Haustür in Bremen. Ich schließe den Wagen ab, gehe ins Haus. Meine Kinder sind noch nicht von der Fahrradtour zurück. Aber ein Zettel liegt neben dem Telefon.

Ruf Torsten von der Theatergruppe an steht darauf, und daneben ist eine Telefonnummer angegeben.

Heute, am Sonntag, soll ich Torsten anrufen. Was es wohl gibt? Vielleicht weiß er etwas von Hamide? Ich wähle gleich seine Nummer. Er meldet sich.

»Hallo, Torsten, hier ist Frau Weißenbach, was gibt's?«

»Die Theatergruppe hat beschlossen, weiterzuspielen. Alle deutschen Leute bleiben dabei und auch Ali und Yildiz. Und wenn wir wirklich keine weiteren türkischen Spieler mehr finden, spielen wir eben die Rollen der Familie Öztürk selbst.«

»Das ist eine Überraschung für mich«, sage ich, »wann seid ihr zu dem Entschluss gekommen?«

»Gestern Abend haben wir uns hier getroffen. Wir fanden, dass wir schon so viel für das Stück getan haben und dass es uns ganz viel Spaß gemacht hat. Wir müssen weitermachen! Einstimmiger Beschluss, Frau Weißenbach! Und damit Sie sich gleich darauf einstellen können, wollte ich es Ihnen heute schon sagen.«

Das war's also. Ich freue mich riesig.

Wenn die Schüler es selbst so wollen, mache ich natürlich gleich wieder mit. Das ist ja der beste Beweis dafür, dass ihnen die Sache wichtig ist! Vielleicht sogar, dass auch sie das Theaterspielen brauchen! Mit dem letzten Gedanken will ich vorsichtig umgehen. Laut sage ich: »Torsten, ich freue mich riesig über euren Entschluss. Also dann, bis Mittwochnachmittag!«

9

Antje, die eben noch die Rolle der freundlichen Oma Berger gespielt hat, steht auf den hölzernen Stufen der Bühnentreppe und hält sich den Bauch vor Lachen. Ihr schwarzer Strohhut mit Schleierchen rutscht ihr dabei schief über die Augen. Das sieht ungeheuer komisch aus, und außerdem steckt Lachen an.

Torsten, im Theaterstück der Hausmeister Beifuß, biegt sich ebenfalls vor Lachen und zeigt immer wieder auf Antje. »Du siehst umwerfend komisch aus«, stößt er hervor und lacht weiter.

»Und du!«, gluckst Antje zurück. »Das sah vielleicht aus, als dir Sonja mit dem Regenschirm in den Bauch gepiekst hat, wie Schaschlik am Spieß.«

Da ruft Sonja, im Stück die dumme und intrigante Frau Hallmann aus dem Mietshaus, mit scharfer Stimme dazwischen: »He, Herr Beifuß! Wir wollen die Szene noch einmal spielen. Aber wehe, ihr lacht wieder so verrückt!«

Torsten wird ernst, folgsam geht er zum Bühnenrand, dorthin, wo ein Besen an der Wand lehnt. Er ergreift ihn, kommt das Treppchen heruntergesprungen auf den freien Platz unterhalb der Bühne, wo diese Szene spielt. Er stützt sich auf den Besen und sieht jetzt verschmitzt zu Frau Hallmann hin, die aus der ersten Stuhlreihe nach vorn kommt.

Jetzt erhebt sich auch Dieter, der mit gleichem Namen Frau Hallmanns Sohn spielt. Gelassen prüft er den Sitz seines Walkmans, dann schaut er zu mir rüber: »Soll es losgehen?«

Ich nicke ihm zu. Er winkt lässig mit der Hand. Er tritt als Erster in dieser Szene auf. Leicht tänzelnd, zu einer Musik, die ja nur er hören kann, bewegt er sich auf dem Platz vor der Bühne. Gleichzeitig hat sich Herr Beifuß von der anderen Seite her in Bewegung gesetzt, er fegt den Fußboden.

Aha, da rempeln sie sich auch schon an.

»He, hast du denn keine Augen im Kopf?«

Dieter, von der Musik noch immer beschwingt, schaut Herrn Beifuß verdutzt an.

Der aber gerät in Rage: »Nimm das blöde Ding da von deinen Ohren, damit du hörst, wenn jemand mit dir spricht.«

»Dieter!«, ertönt laut, sehr laut, Frau Hallmanns Stimme. »Dieter, hilf mir doch mal die schweren Taschen ins Haus tragen!«

»Hörst du denn deine Mutter nicht?«, schreit ihm jetzt auch Herr Beifuß entgegen.

Dieter hört nur seine Musik, will gerade die

Bühnentreppe hochtänzeln, als Herr Beifuß ihn einholt und nach dem Walkman greift.

Nun aber legt sich Frau Hallmann ins Zeug: »Herr Beifuß, lassen Sie meinen Sohn in Ruhe, immer haben Sie etwas an ihm herumzumeckern, seit Sie Hausmeister sind.«

Herr Beifuß, im Grunde seines Herzens gutmütig, beruhigt sie. Dieter nimmt seiner Mutter endlich die Taschen ab, murmelt etwas von Sklavenarbeit und verschwindet hinter dem Vorhang, im Haus.

Frau Hallmann hält jetzt nur noch ihren langen roten Regenschirm in der Hand, mit dem sie Herrn Beifuß ganz schön fest in den Bauch gestochen hat, bevor sie von Lachsalven der Mitspieler und Torstens Aufschrei unterbrochen worden war.

Die Proben gehen weiter. Wir müssen jetzt noch eine Szene mit dem türkischen Vater anspielen. Chris hat ja Cemals Rolle übernommen. Wir entscheiden uns für die Szene in der Küche, gerade als der Vater von der Arbeit heimkommt. Chris gibt sich große Mühe. Ich brauche Zeit, mich von Cemal auf Chris umzustellen. Cemal stand auf der Bühne und man glaubte ihm seine Rolle. Chris spielt lautstarke Autorität, fuchtelt hektisch mit den Armen herum. So geht's nicht, das ist uns allen klar.

»Das ist ein nervöser deutscher Vater«, sagt Ute.

»Du musst ruhiger gehen, so wie Cemal«, wirft Yildiz ein.

Chris, schon leicht gereizt, wird wütend: »Ich will kein Abziehbild von Cemal sein. So, und für heute ist Schluss.« Dann setzt er ruhiger hinzu: »Ich werde die ganze nächste Woche hinter türkischen Männern herlaufen und beobachten, wie sie sich bewegen. Dann sollt ihr mich mal sehen!«

Yildiz freut sich sichtlich: »Tu das mal, Chris, du wirst sehen, sie gehen wirklich ganz anders. Sie gehen so ... ich glaube, stolz ist das Wort.«

»Ja, stolz«, Chris hebt sein Kreuz, »aber wartet nur ab. Heute spiele ich jedenfalls nicht mehr.«

Das wird von allen akzeptiert.

»Eh, spielt doch mal euren Bierkistenauftritt«, fordert Dieter jetzt Torsten und Piet auf, »mal sehen, ob ihr den noch drauf habt.«

Torsten spielt zwei Rollen, außer Herrn Beifuß auch noch den trinkfreudigen Olaf, und Piet spielt seinen Kollegen Heino.

»Na klar«, sagt Torsten. »Los, Piet, hol die Kiste, wir spielen!«

»Scheinwerfer an!«, brüllt Dieter. Dieses Kommando kommt fast immer von ihm, und Chris flitzt dann jedes Mal hinter die Bühne zur Lichtanlage.

Schnell wird die Bühne von den anderen Spielern geräumt, sie hocken sich alle neben mich in die erste Stuhlreihe.

Olaf und Heino kommen, die Bierkiste schleppend, von hinten durch die Halle zur Bühne. Bisher haben die beiden jedes Mal eine andere

Geschichte daraus gemacht. Fest für die Szene steht nur: Sie tragen eine Kiste mit vollen Bierflaschen ins Haus hinein und begegnen unterwegs Frau Hallmann, Irmi und Gunda, den Hausbewohnerinnen.

Diesmal bietet Olaf Irmi eine Flasche Bier an. Sie reagiert zuerst mit Entrüstung, doch schließlich probiert sie sogar einen kräftigen Schluck.

An der Haustür spielen Olaf und Heino wieder das Spiel: Einer findet den Hausschlüssel nicht. Sie erfinden immer neue Gags. Wir Zuschauer begleiten ihr Spiel mit pausenlosem Lachen. Das spornt sie dazu an, sich bäuchlings bis zur Rampe am Bühnenboden entlang zu robben und nach dem Schlüssel zu suchen. Unten im Gully glauben sie den Schlüsselbund zu sehen, natürlich bekommen sie ihn nicht herauf. Sie philosophieren über eine Fata Morgana im schlammschwarzen Gully, bis Olaf plötzlich einfällt, dass er den Schlüssel ja schon ins Schloss gesteckt hat. Großer Applaus!

Olaf und Heino verbeugen sich und klopfen sich gegenseitig auf die Schultern.

Auch mir klopft plötzlich jemand auf die Schulter. Es ist die Hausmeistersfrau der Schule. Sie hat sich den Spaß mit angesehen. Aber jetzt ist es sechs Uhr und sie hat Feierabend. Sie will die Schule abschließen. Wir müssen gehen.

»So toll wie heute war es noch nie, so müsste es immer sein«, sagt Chris.

»Die Szenen mit der türkischen Familie sind sehr ernst, da müssen wir zwischendurch auch etwas Lustiges bringen«, meinen Antje und Sonja.

Ich glaube, dass sie Recht haben.

Beim Aufräumen erzählt mir Yildiz, dass Hamide wieder zu Hause ist, aber noch nicht zur Schule darf.

»Vielleicht gehe ich gleich mal bei ihr vorbei und bringe ihr eine Tafel Schokolade«, überlege ich laut.

Yildiz fasst mich am Arm. Leise, dass nur ich es hören kann, sagt sie: »Sie ist jetzt bestimmt nicht da, sie hilft ihrer Mutter in der Änderungsschneiderei. Gehen Sie lieber nicht hin.«

»Aber Hamide war doch so krank, sie kann doch nicht jetzt schon wieder arbeiten!«, rufe ich aus.

»Sie muss ihrer Mutter helfen, sie haben einen Auftrag bekommen. Aber das darf ich eigentlich niemand sagen.«

Ich spüre wieder einen gewaltigen Zorn in mir hochkommen, wie damals, als Cemal mir erzählte, dass er mitten im Schuljahr in die Türkei zurückmusste um ein Haus mitzubauen. Aber ich verstehe noch zu wenig vom türkischen Familiensinn. Vielleicht ist es richtig, dass Hamide hilft, dass sie in ihrer Familie dadurch wichtige Anerkennung erhält.

»Schnell, schnell, es ist Feierabend«, höre ich die

Stimme der Hausmeisterin, die hinten in der Halle steht. Wir müssen uns beeilen. Draußen vor der Hallentür warten die anderen Spieler auf uns.

10

Ali war bei der letzten Probe nicht dabei. Was mag der Grund gewesen sein? Ich bin jetzt schnell misstrauisch, wenn ein türkischer Mitspieler fehlt. Heute will ich ihn gleich einmal aufsuchen.

Bevor mein Unterricht in der siebten Klasse beginnt, gehe ich rüber zum Klassenraum der Neunten. Dort müsste ich Ali finden oder etwas über ihn erfahren. Ich horche an der Tür. Es ist ziemlich ruhig drinnen, nur ab und zu höre ich jemanden etwas sagen. Es wird noch unterrichtet. Also warte ich, lehne mich an die Wand neben der Treppe, die ins obere Stockwerk führt. Da fällt plötzlich ein zusammengeknülltes Stück Papier vor meine Füße. Ich hebe es auf und sehe nach oben, von wo es gekommen war. Ein Schüler lehnt sich übers Geländer und lacht mich an.

»Ali!«

»Bin rausgeflogen«, ruft er mir halblaut zu.

»Warum?«, frage ich und gehe ein paar Stufen nach oben.

»Ach, egal, ich hatte keine Lust«, sagt er.

»Wir haben dich gestern bei der Probe vermisst!«

»Ja«, kommt es verlegen von ihm. »Es ist wegen Karate. Ich gebe Unterricht für die Jüngeren.«

»Zur gleichen Zeit?«, frage ich. »Früher bist du doch immer erst nach der Probe zum Karate gegangen.«

»Ja«, sagt er stockend, »es ist, weil ... ich bin jetzt ohne Cemal.« Und zögernd kommt es: »Wer spielt jetzt den Vater?«

»Chris versucht es«, antworte ich. »Du hättest ihm gestern helfen können, er hat noch Schwierigkeiten, sich in einen türkischen Vater hineinzuversetzen.«

Ali lacht. »Cemal war gut«, sagt er.

Ich nicke. »Und für den Achmed brauchen wir dich unbedingt, Ali.«

»Wirklich?«, fragt er. »Wenn ihr mich wirklich braucht, komme ich wieder.«

»Toll, ich freue mich, wenn...«

Da öffnet sich die Klassentür, ein Schüler steckt den Kopf heraus. »Ali, reinkommen«, ruft er laut in den Flur hinaus.

»Nee, kann jetzt nicht, ich spreche gerade mit meinem Regisseur.«

Wir lachen. »Er kommt gleich«, sage ich zu dem Schüler. Die Tür schließt sich wieder.

»Cemal ist weg«, stellt Ali fest, so, als ob ich das nicht schon längst wüsste.

Cemal war sein Freund. Ich hatte sie immer zusammen auf dem Schulhof gesehen.

»Ich bin jetzt einziger Türke in der Klasse«, sagt er zu mir. Er kommt langsam die Treppe herunter, legt die Hand auf die Klinke. »Ganz allein Türke in der Klasse, das ist bescheuert.« Er drückt die Klinke herunter. »Aber ich komme, ganz bestimmt.« Dann verschwindet er in seinem Klassenraum.

Nachdenklich gehe ich den Flur entlang. Aber sind nicht noch zwei türkische Mädchen in Alis Klasse? Hamide hatte sie einmal angesprochen, ob sie nicht mitspielen wollen. Übersieht er die Mädchen oder vermisst er Cemal so sehr, dass er gar niemand anderes mehr wahrnimmt? Fragen über Fragen.

Seltsam, heute ist kein Schüler der siebten Klasse auf dem Flur, es ist ruhig. Ich öffne die Klassentür. Aha, Dr. Stock ist noch drinnen.

»Wenn ich das noch einmal zu Ohren bekomme, werde ich Maßnahmen ergreifen«, beschließt er gerade seine Rede. Er schiebt seine Tasche unter den grauen Jackenärmel, geht an mir vorbei und zischt »Saubande« durch die Zähne. Er verlässt den Raum.

»Mann, hatte der eine Laune«, stöhnen die Schüler. Sie öffnen die Fenster und räkeln sich. Frische Luft strömt herein.

›Das wird ja eine Englischstunde werden!‹,

denke ich mit Bangen. ›Da werden sie bei mir Dampf ablassen wollen, und ich kann meinen Unterrichtsstoff in den Schornstein schreiben!‹ Aber ich stehe unter Zeitdruck, das nächste Kapitel des Buches muss vorbereitet werden.

Ich lasse Arbeitsblätter austeilen. Auf ihnen sind Bildgeschichten abgebildet mit noch leeren Sprechblasen. Hoffentlich lassen sich die Schüler von den Zeichnungen anregen, einen guten englischen Dialog zu erfinden. Sie sehen sich erst einmal die Bilder an, manche lachen.

»Eh, der eine sieht aus wie der Stock«, sagt Schmidde, »ich weiß schon, was ich hier hineinschreibe.«

Sie beginnen zu arbeiten, fröhlich, holen sich das englische Wörterbuch aus dem Klassenschrank. Ich sehe, dass die Schüler intensiv bei der Sache sind, und meine Spannung löst sich.

Während sie schreiben, werfe ich einen Blick in die Versäumnisliste im Klassenbuch. Hamide fehlt nun schon fast drei Wochen wegen Krankheit. Sie wird viel nachholen müssen.

Nach der Stunde frage ich Ute und Antje, ob sie Hamide nicht einmal besuchen wollen.

»Heute gehen wir hin«, sagen sie.

»Schöne Grüße von mir!«, rufe ich zu ihnen hin, als ich den Klassenraum verlasse.

Der Schulvormittag vergeht heute schnell. Die Schüler arbeiten intensiv mit, sogar in der sechsten

Stunde. Solche Schulvormittage sind selten. Zufrieden gehe ich nach Hause.

Ich schaue noch schnell bei Celiks in den Laden, ob es frisches Gemüse gibt. Vor mir wird noch jemand bedient, ich muss warten. Ayla spricht mit der Kundin, von der ich von hinten das glatte lange Haar sehe. Es ist bestimmt ein junges Mädchen. Jetzt zeigt es auf die Haselnüsse im großen Papiersack und sagt etwas auf Türkisch. Die Stimme kenne ich doch! Ich mache einen Schritt zur Seite, um das Gesicht des Mädchens sehen zu können.

»Hamide!«, rufe ich freudig aus.

Hamide fährt herum. Sie sieht mich. »Frau Weißenbach!«, sagt sie überrascht.

»Wie geht es dir?«, frage ich.

»Besser, nur manchmal habe ich noch Kopfschmerzen« und hastig: »Ich komme auch bald wieder zur Schule.«

Ayla packt ihr die Haselnusstüte in den Einkaufskorb. Hamide bezahlt. Dann wendet sie sich wieder zu mir: »Vielleicht darf ich sogar wieder mitspielen. Der Doktor im Krankenhaus hat meinen Vater gebeten, es mir nicht zu verbieten. Das Theaterspiel ist eine Hilfe für mich, hat er gesagt.«

»Das hat der Doktor gesagt?«, frage ich erstaunt. »Hast du ihm von unserem Stück erzählt?«

»Ja, später. Zuerst wurde mein Kopf untersucht, mit komplizierten Apparaten. Sie konnten aber nichts finden. Deshalb hat der Doktor zuerst mit mir und dann ganz lange mit meinen Eltern gesprochen. Ich habe ihm alles erzählt: von meiner Klasse, dass sie mich so lange beschimpft haben, von unserem Theaterspiel und von zu Hause.«

›Ich möchte so sein wie die Deutschen‹, hatte Hamide in ihre Theaterszene hineingeschrieben. Aber ihr Vater achtet streng darauf, dass sie eine Türkin bleibt. Natürlich führen solche unterschiedlichen Wünsche und Forderungen zu schier unlösbaren Konflikten.

Laut sage ich: »Ich freue mich, wenn du wiederkommst, die ganze Theatergruppe wartet auf dich, Hamide.«

»Ich will ja auch, nur mein Vater…«, Hamide bekommt einen schmerzlichen Gesichtsausdruck. »Tschüss, ich muss jetzt gehen«, sagt sie, gibt mir hastig die Hand und verlässt den Laden.

Ich suche sechs große, weißhäutige Zwiebeln aus der Kiste vor dem Tresen aus und lege sie auf die Waage.

11

»Und eins sage ich dir, wenn die anderen aus der Klasse wirklich denken, dass Hamide meine Freundin ist, geb ich die Rolle ab«, höre ich die Stimme von Dieter.

»Mensch, die sehen doch, dass das alles bloß ein Spiel ist«, antwortet Chris.

»Ja, ja, euch geht es ja nur um ein Happyend.«

Ich bleibe stehen, warte hinter dem Bühnenvorhang. Ich will das Gespräch der beiden nicht stören. Dieter und Chris sind nach der Probe noch allein zurückgeblieben, sie warten auf die Kopien der Spieltexte.

»Sag mal, kannst du Hamide ausstehen?«, höre ich nun wieder Dieters Stimme.

»Wenn ich ganz ehrlich bin«, sagt Chris, »ich finde sie einfach Klasse.«

»Mann, das hätte ich nicht von dir gedacht, du und 'ne Kanakin!«

»Wenn ich sie gut finde, heißt das ja noch lange nicht, dass ich mit ihr gehe. Da braucht man nur an ihren Vater zu denken, der würde mich als deutschen Freund ja gleich aus der Wohnung schmeißen.«

»Schisser!«

»Selber einer! Dir ist es ja schon peinlich, ihr auf der Bühne zu sagen, dass du sie magst. Und das, wo jeder, der zusieht, weiß, es ist Theater. Aber,

Hamide ist ebenso gut wie andere Mädchen, und das kann laut gesagt werden!« Chris sagt es mit Entschiedenheit.

»Wo bleibt eigentlich Frau Weißenbach?«, fragt Dieter jetzt.

»Hier«, sage ich und schiebe den Vorhang zur Seite.

»Gelauscht?«, fragt mich Dieter.

»Ja, ich wollte euer Gespräch nicht stören«, antworte ich.

»So nennt man das also«, meint Dieter, dann sagt er: »Die beiden kleinen Brüder von Hamide haben mich heute ganz schön genervt.«

Ich bin froh, dass ich mich für mein Lauschen hinter dem Bühnenvorhang nicht entschuldigen muss, und sage schnell: »Das ist halt der Preis, den wir für Hamides Mitspielen bezahlen müssen. Sind wir froh, dass sie wieder da ist.«

»Eine bescheuerte Bedingung von ihrem Vater. Alles Schikane«, donnert Dieter los, »ewig sind sie an mir hochgeklettert, ich konnte mich überhaupt nicht richtig konzentrieren. Ein einziger Stress! Und außerdem: Kann Hamides Vater nicht selber auf seine Kinder aufpassen? Er ist doch jetzt arbeitslos und den ganzen Tag zu Hause!«

»Also, wenn ich mal was sagen darf«, sagt Chris, »das geht einfach nicht. Ich habe in der letzten Zeit viel und oft mit Türken gesprochen, weil ich das für meine Rolle brauche. Kinderhüten ist bei ihnen nun einmal die Sache von Frauen oder Geschwistern.«

»Hört, hört! Chris steht auf Hamide«, sagt Dieter grinsend, »aber nicht ich.«

»Mann, stell dich nicht so an!«

»Du musst ja auch nicht den Liebhaber spielen«, sagt Dieter ärgerlich.

»Dafür spiele ich einen türkischen Vater!«

»Na und?«, kontert Dieter.

»Kapierst du denn nicht? Die Zuschauer sagen bestimmt: ›Der hält zu den Türken!‹ Das wird es uns auf dem Schulhof nicht leicht machen. Du weißt ja selbst, was da los ist.«

Die Sätze von Chris gehen mir nahe. Er hat Recht, er bezieht als Deutscher Stellung für die Ausländer, auch Dieter, wenn er später im Stück Hamides Freund wird. Ich finde aber, das müssen sie durchstehen.

Da höre ich Dieter antworten: »Aber vorhin hast du noch zu mir gesagt, es sei alles bloß Theater, das merke doch jeder...«

»Du hast Recht, Dieter. Wir spielen echt!«, sagt jetzt Chris nachdenklich. Und er fügt mit fester Stimme hinzu: »Ich will so spielen, dass alle merken, dass ich zu den Türken stehe, dass sie genauso viel wert sind wie wir, und dass es für sie nicht leicht ist, mit Deutschen zusammenzuleben.«

»Unser Stück wird provozieren«, sage ich jetzt, »ich hoffe sehr, dass es nachdenklich macht und nicht Fronten aufreißt.«

Chris überlegt, in seinem Gesicht arbeitet es. »Ich hab keine Angst, dass mich die Skinheads zusammenschlagen. Schließlich habe ich auch Freunde.« Und unvermittelt: »Ich muss jetzt gehen.«

Ich gebe den beiden die neuen Rollentexte in die Hand. Sie drehen sie zu einer engen Rolle zusammen und springen von der Bühne herunter in die Halle.

Ich will die Kopien der Spieltexte noch sortieren und lege sie alle auf dem Bühnenfußboden aus. Die Texte der letzten Szenen sind fertig gestellt. Während ich sortiere, gehen mir die Worte von Chris im Kopf herum. Je intensiver sie proben, umso mehr verstehen die Schüler erst, was sie da eigentlich machen. Dass sie sich mit ihrer ganzen Person voll einsetzen gegen die Vorurteile der eigenen Landsleute.

Nur zwei deutsche Mieter im Haus unseres Theaterstücks denken vernünftig: Oma Berger und der Hausmeister Beifuß. Aber ausgerechnet der Oma Berger, die hilfsbereit und freundlich zur türkischen Familie ist, stehlen Olaf und Heino die wertvollen Briefmarkenalben. Der Verdacht fällt sofort auf die Türken. Ohne nachzudenken sagen die übrigen Mieter: »Die Türken waren es. Natürlich, die Türken! Wer denn sonst!«

Olaf und Heino freuen sich über die Reaktion der Leute. Ihr Plan ist geglückt. Von ihnen spricht keiner, alle zeigen auf die Türken. Olaf und sein

Kumpan können jetzt ohne Hast einen zahlungskräftigen Käufer für die Briefmarken suchen.

Aber Olaf und Heino haben nicht gemerkt, dass Hamide und auch Dieter gesehen haben, wie sie aus Oma Bergers Wohnung herauskamen. Hamide hat in Dieter einen Mitbeobachter, der allein den schrecklichen Verdacht, der auf der türkischen Familie lastet, abwenden könnte. Doch Dieter schweigt dazu, er spricht nicht mit Hamide, weil sie eine Türkin ist.

Hamide bittet Dieter mehrmals, ihr zu helfen, den Verdacht von ihrer Familie abzuwenden, doch Dieter sagt ganz einfach: »Du spinnst, ich habe nichts gesehen.«

Da wird Dieter vor einer schweren Mathematikarbeit von einem Alptraum heimgesucht. Hamide erscheint ihm als rettender Engel in einem langen roten Kleid. Er bittet sie, bei der Mathematikarbeit die Ergebnisse auf einen Zettel zu schreiben und ihm rüberzuschieben. Dafür will er mit ihr zusammen die Diebe überführen. Hamide geht auf den Vorschlag ein und entschwindet.

Am Nachmittag des nächsten Tages ist klar: Die Klassenarbeit ist durch Hamides Hilfe gerettet. Gemeinsam lauern die beiden Olaf und Heino auf und bekommen heraus, an wen diese die Briefmarken verkaufen wollen. Sie verständigen die Polizei.

Letzte Szene: Nach der Aufdeckung des Diebstahls kommt es endlich zu einem richtigen Gespräch zwischen der Hausgemeinschaft: zwischen den deutschen Mietern und der beschuldigten, verstörten und ratlosen Familie Öztürk. Ein erster Versuch, sich gegenseitig besser zu verstehen, kein Happyend.

»Vielleicht werden wir es schaffen«, sagt Herr Öztürk. Das sind die letzten Worte des Stückes. Es ist eine Aufforderung – wenn wir viel Glück haben, eine Herausforderung an alle in dieser Halle.

12

Hamide kommt mit einem Koffer zur Probe. Aufgeregt und blass steigt sie das Bühnentreppchen hoch. Ihre Haare fallen wirr in die Stirn, unter den Augen sind tiefe Schatten.

»Hier, Frau Weißenbach, ist schon mal der Koffer mit meinen Sachen. Da ist mein Kleid drin für den Traum. Ich muss noch mal zurück. Mustafa und Murat wollen draußen Ball spielen, ich darf sie nicht allein lassen. Sie erzählen das sonst meinem Vater und dann darf ich nicht mehr mitmachen. Antje soll mir sagen, wann meine Szene dran ist, dann komme ich schnell herein.« Und schon läuft sie wieder eilig das Treppchen hinunter und zur Tür hinaus auf den Schulhof. Ich sehe sie durch die Fensterscheiben, wie sie draußen auf ihre kleinen Brüder einredet.

›Wie soll sie diesen Stress durchhalten?‹, denke ich. ›Die Proben verlangen ihre volle Konzentration, und dabei hat sie noch die Verantwortung für die Kleinen und den immer präsenten Vater im Nacken.‹

Hamide sieht gehetzt aus. Hoffentlich schafft sie die nächsten Proben noch, in zwei Wochen soll Premiere sein. Wir proben heute noch einmal die letzten Szenen, Hamide kommt fast überall darin vor. Ich erkläre den Schülern, dass wir erst einmal ohne Hamide spielen wollen. Ich werde ihren Rollentext lesen, damit sie noch mit den Kleinen draußen bleiben kann. Die anderen Spieler sind einverstanden, Hamide kann ihre Rolle sowieso perfekt.

Manchmal denke ich, es ist gut, dass Ali hier bei uns erlebt, wie schwer es Hamide hat, Schule und häusliche Pflichten miteinander zu vereinbaren. Er müsste doch sehen, dass türkischen Mädchen zu viel zugemutet wird. Vielleicht lernt er daraus, sich als Bruder oder später als Vater anders zu verhalten. Aber Ali schweigt, wenn die anderen über Hamides Überforderung sprechen, er geht zur Seite und beteiligt sich nicht am Gespräch.

Wir haben die Schlussszenen ohne Hamide gespielt, nun brauchen wir sie. Yildiz holt sie herein. Die Mädchen zerren die kleinen Brüder an den

Armen in die Halle. Die Buben schreien, weil sie draußen bleiben wollen. Hamide setzt sie auf einen Stuhl und kommt die Bühnentreppe hochgelaufen. Sie zieht sich um, legt ihr rotes, bodenlanges Kleid an, in dem sie Dieter im Traum erscheinen soll, pudert sich das Gesicht.

Die anderen Spieler machen währenddessen Pause, lachen, verteilen Kekse, hören Musik. Da, plötzlich ein Krach aus der Halle und ein lauter, durchdringender Schrei. Wir sehen nach unten. Einer von Hamides Brüdern ist vom Stuhl gefallen und liegt zappelnd und schreiend am Boden, der andere, Murat, rennt zur Bühnentreppe. Hamide ist schon auf dem Weg zu ihnen. Die Puderquaste in der Hand, stürzt sie auf die Treppe zu, rutscht auf den Holzstufen aus, verfängt sich in ihrem langen Kleid und fällt bäuchlings die Treppe hinunter. Die Kleinen schreien noch, als wir Hamide hochgehoben haben und vorsichtig zu einem Stuhl bringen. Sie hat eine Beule an der Stirn und klagt über Schmerzen in den Beinen. Yildiz zieht ihr die Schuhe aus und reibt ihr sanft das rechte Bein.

Wir können erst mal nicht weiterproben. Antje kommt auf die gute Idee, Tee zu kochen. Sie verschwindet mit Chris und Ute in der kleinen Küche neben dem Lehrerzimmer. Ich nehme Mustafa auf den Arm und versuche ihn zu beruhigen. Er zeigt aber immer nur auf seine Schwester und schreit. Mit meinen deutschen Worten kann er nichts anfangen.

»Rufen Sie mal Ali«, sagt Hamide, »den mag er gern, vielleicht beruhigt er ihn.«

Alle rufen: »Ali!« Aber der ist nicht zu sehen.

Sonja ruft von der Bühne her: »Hier ist er, Ali spielt mit Dieter Karten!«

Jetzt taucht Ali auf, hinter ihm Dieter.

»Kommt runter, wir brauchen euch«, sage ich zu ihnen.

»Aber nicht als Kindermädchen«, ruft Dieter zurück.

Aha, sie wissen genau, was hier unten los ist. Ich gebe noch nicht auf: »Ali, Mustafa will zu dir. Hamide ist die Treppe heruntergefallen und kann sich nicht um ihn kümmern.«

Ali grinst. Er drückt Dieter die Spielkarten in die Hand und kommt langsam zu uns herunter. Ich stelle Mustafa vor Ali auf den Boden. Der spricht mit ihm, kurze, türkische Worte, nicht unfreundlich, aber bestimmt. Sie bewirken, dass Mustafa ihm brav die Hand gibt, zu schreien aufhört. Murat kommt auch angelaufen.

»Wir gehen hinter den Vorhang, ich nehme sie mit.« Ali verschwindet mit Dieter und den Kleinen wieder hinter der Bühne.

Jetzt können wir erst einmal in Ruhe Tee trinken. Hamide wird wieder lebendig, sie trinkt noch eine zweite Tasse, Chris gießt ihr den Tee ein.

»Danke, Chris, jetzt geht es wieder«, sagt sie.

Chris strahlt.

Wir richten die Bühne her für die Traumszene. Ali hat hier nichts zu tun, so kann er sich weiter um die Kleinen kümmern. Sie sitzen brav neben ihm und schauen zu, wie er Karten spielt.

Doch Dieter wird gebraucht, es ist seine Alptraumszene. Er drückt Ali die Karten in die Hand und sagt in seiner trockenen Art: »Ali, halt die mal fest, ich muss jetzt ein bisschen von Hamide träumen.«

Er legt sich mit Schwung auf die bereitgelegte Matratze in der Mitte seines Zimmers, lässt sich von Sonja, seiner Mutter, zudecken. Die Bühne wird dunkel. Musik ertönt, laute Musik, Dieter hat eine Rockplatte auf dem neben dem Bett stehenden Plattenspieler aufgelegt.

Seine Mutter stürzt ins Zimmer, drückt auf den Aus-Knopf des Plattenspielers. Stille. Dann die Stimme von Dieter: »Lass die Musik an, Mama!«

»Nein, du schläfst jetzt, es ist gleich Mitternacht!«

»Ist doch meine Sache!«

»Und morgen in der Mathearbeit schreibst du wieder eine Sechs!«

»Oohh!«

»Wenn du wegen Mathematik nicht versetzt wirst, ist was los, Dieter, das sag ich dir!« Die Mutter schlägt die Tür zu.

Dieter: »Mach nicht so einen Krach, es ist gleich Mitternacht.« Er wälzt sich unruhig im Bett hin und her: »Warum muss sie mich immer wieder an die Mathearbeit erinnern!«

Jetzt ist die Bühne in schwaches grünes Licht getaucht. Leise beginnt die Alptraummusik und Ute und Petra in schwarzem Turndress schleichen als X und Y herein um Dieter mit Grimassen und Gesten in Angst und Schrecken zu versetzen. Wenn er fliehen will, halten sie ihn fest, wenn er sie einfangen will, stolpert er, fällt hin, kann sich nur mühsam erheben. In all der Qual taucht Hamide auf, in einem wunderschönen langen roten Kleid.

Ein leises, staunendes »Oh!« kommt von hinten. Erst jetzt entdecke ich zwei dunkle Augenpaare über dem Fußboden. Mustafa und Murat liegen bäuchlings hinter dem rückwärtigen Vorhang, haben unten ihre Köpfe durchgesteckt. Sie bewundern ihre Schwester. Staunend verfolgen die beiden, wie sie Dieter von den Plagegeistern X und Y erlöst, weil Dieter ihr im Traum sagt, dass er ihr helfen will, den Diebstahl aufzuklären. Hamide verschwindet wieder. Die Traummusik verstummt.

Die Mutter kommt herein. Das Zimmer liegt in grellem Licht: »Guten Morgen, Dieter, aufstehn!«

Die Szene hat uns beeindruckt. Alle sind zufrieden. Hamide zieht ihr rotes Kleid aus und legt es vorsichtig zurück in den Koffer.

Während der ganzen Probe hat sich Ali um Hamides Brüder gekümmert. Als ich ihm versichere, dass dies eine große Hilfe für uns alle war, zeigt er stolz auf seine Brust: »Wenn Ali kommt, gibt es keine Probleme.«

Am nächsten Tag fehlt Hamide in der Schule.

13

»Na, wie sieht es mit eurem Theaterstück aus? Geht alles seinen rechten Gang?«, fragt mich Willi Feuerberg, mein Schulleiter, während er sich im Lehrerzimmer neben mich auf den noch freien Stuhl setzt.

»Morgen ist Generalprobe und nächste Woche Premiere«, antworte ich, »ich hoffe sehr, dass Hamide wirklich da ist. Sie fehlt wieder häufig.«

»Solange sie von ihrem Vater wegen Krankheit entschuldigt wird, können wir nichts machen«, sagt Willi Feuerberg.

Ich frage mich, was er wohl sonst machen könnte. »Sie ist krank, und dass es stimmt, weiß ich genau«, sage ich.

Der Schulleiter macht ein ernstes Gesicht. »Übrigens«, sagt er, »das wollte ich dir noch sagen: Hamides Vater hat kürzlich angerufen und mir erzählt, dass er mit seiner Familie nächstes Jahr wieder zurückkehren will in die Türkei, weil er hier keine Arbeit mehr findet.«

»Was sagst du da?«, entfährt es mir voller Schrecken.

»Hör zu, es geht noch weiter«, fährt Feuerberg fort, »Hamide soll dann bald heiraten. Er hat schon einen Bräutigam für sie. Es sei höchste Zeit für das Mädchen, sagt er, bevor die modernen deutschen Einflüsse noch mehr Macht über sie bekämen und ihre zukünftige Ehe zerstörten.«

Ich kann mich von diesem Schreck gar nicht erholen. Von diesen Überlegungen hatte ich keine Ahnung. Hamide ist erst vierzehn Jahre alt. Es kann aber durchaus sein, dass ihr Vater sie in zwei bis drei Jahren in der Türkei verheiratet.

»Natürlich«, antworte ich langsam, »der Vater hat Angst, dass Hamide hier in Deutschland auf die Idee kommen könnte, sich selbst ihren Freund auszusuchen, und dass sie sich erst um eine Ausbildung bemühen möchte, bevor sie heiratet.« Ich gerate in Aufregung: »Und Theaterspielen! Das schickt sich doch nicht für ein anständiges türkisches Mädchen! Da bleibt ihr ja gar nichts anderes übrig, als sich immer wieder in Krankheit zu flüchten.«

»Du siehst zu schwarz. Hamide wird das schon packen. Wichtig ist zunächst einmal, dass sie morgen wieder da ist. Ich bin überzeugt davon.«

Ich sehe Willi Feuerberg an, spüre, dass er mich beruhigen will. Aber wir wissen beide, dass die

Generalprobe nicht stattfinden könnte, wenn Hamide morgen fehlt. Um mich etwas zu beruhigen, sage ich noch: »Yildiz und Sevim haben fürs Theaterspielen das volle Einverständnis ihrer Eltern. Da gibt es gottlob keine Probleme.«

»Es gibt halt genau wie bei uns Deutschen auch bei den Türken verschiedene Auffassungen von Erziehung«, meint Willi Feuerberg.

Schon will er aufstehen und sich einem anderen Kollegen zuwenden, der gerade vorbeigeht. Aber ich habe noch etwas auf dem Herzen. »Da ist noch etwas, was ich mit dir besprechen möchte«, sage ich.

Er setzt sich wieder. »Ja?«, fragt er und zündet sich eine Zigarette an. Der Qualm schlägt mir ins Gesicht.

»Vorhin erzählten mir zwei Schüler, dass wieder Schmierereien an den Toilettentüren stehen, schon seit ein paar Tagen. Gegen die Türken natürlich. Warum wird das nicht sofort entfernt?«

»Die Putzfrau weigert sich. Sie sagt, wenn sie es heute abwischt, dann ist morgen wieder etwas Neues dran.«

»Aber solche Parolen prägen sich bei den Schülern ein«, sage ich eindringlich. »Was nützt es dann, wenn wir ein Stück über das Zusammenleben von Deutschen und Türken proben und vorspielen, und in den Pausen lesen die Schüler den Satz: Türken sind Schweine!«

»Du hast ja Recht«, lenkt Willi ein, »ich möchte aber viel lieber herauskriegen, wer diese Schmierfinken waren, dann dürfen die nämlich die Türen neu streichen.«

»Ich vermute, dass es wieder die Skinheads waren, die lassen solche Sprüche sogar in der Klasse los«, mischt sich ein Kollege ein.

»So einfach kannst du das nicht behaupten, das musst du schon beweisen. Auf jeden Fall dürfen wir nicht tatenlos zusehen«, sage ich.

»Wir schauen uns das gleich mal an«, beschließt Willi und steht auf.

Wir gehen zusammen den Gang entlang.

»Welche Klasse wird denn bei der Generalprobe zusehen?«, fragt er mich.

»Ich denke, die beiden Neunten, sie haben viele türkische Schüler. Die können ihren Landsleuten von dem Stück erzählen, und auch bei ihren Eltern spricht es sich dann herum.«

Inzwischen haben wir uns den Toiletten genähert. Eine Schülertraube hängt vor dem inneren Türblatt, liest und kommentiert laut die Parolen. Feuerberg stellt sich neben die Schüler.

»Türken sind...« Der Sprecher kommt nicht weiter, ein Mitschüler hat ihn in die Seite gepufft mit einem »Eh, Feuerberg!«.

»Wir haben das nicht geschrieben«, sagt der Vorleser schnell ohne danach gefragt worden zu sein.

Die Schüler verdrücken sich, einer nach dem anderen. Schließlich stehe ich allein mit dem Schulleiter vor den Parolen, die mit dickem schwarzen und roten Filzstift unübersehbar an die Türen geschmiert sind. Nachdem er sie gelesen hat, sagt er: »Die Sachen müssen weg, und zwar ganz schnell!«

14

Unten in der Halle wird es laut, Geräusche von rückenden Stühlen, Rufe, Gelächter.

»Sie kommen!«, ruft Dieter uns hinter der Bühne zu. Zwei neunte Klassen betreten gerade die Halle. Sie sind die Zuschauer unserer Generalprobe. Trotz aller Aufregung auf der Bühne müssen wir über uns lachen. Wie wir da alle dicht um Dieter und Sevim gedrängt hinter dem Bühnenvorhang stehen und gespannt auf ihre Kommentare lauschen! Sie gucken, von außen ungesehen, durch einen Schlitz im Vorhang.

»Nein, ich spiele nicht, ich spiele nicht«, kommt es verzweifelt von Dieter. »Alle Skinheads sind da!«

»Wo setzen sie sich hin, Dieter?«, fragt Torsten von hinten. »Lass mich mal sehen.« Er drängelt nach vorn.

»Zum Glück letzte Reihe«, sagt Dieter.

»Ich glaube, ich habe richtiges Lampenfieber«,

sagt jetzt Ute und lässt sich von mir in den Arm nehmen. Auf ihren Wangen leuchten rote Flecken. »Wenn ich bloß nicht stecken bleibe!«

»Ich habe furchtbare Angst, dass ich auf einmal nicht mehr weiter weiß«, höre ich hinter mir nun auch die Stimme Hamides. Sie bindet sich schon zum vierten Mal das hellgrüne Kopftuch fester.

»Ist es so gut?«, fragt sie mich nervös.

»Es passt gut zu deinen Augen«, sage ich und denke: ›Wenn das mal gut geht...‹

Vorn im Zuschauerraum wird es ruhiger.

»Feuerberg kommt«, ruft Dieter mit gedämpfter Stimme auf die Bühne.

Wir hören, wie Willi Feuerberg die Schüler begrüßt. Er sagt ein paar Worte über unsere Arbeit und bittet die Zuschauer um Nachsicht, weil es ja erst die Generalprobe sei. »Und da kann einfach noch nicht alles klappen«, sagt er.

Ein Aufatmen geht durch die Spieler.

»Das Messer! Wir haben das Messer zum Fleischschneiden vergessen«, ruft plötzlich Yildiz von hinten und sieht ganz erschrocken zu uns herüber.

»Mensch, Yildiz, das liegt doch bei den Küchensachen, ich habe es vorhin noch gesehen.«

Sevim verläßt ihren Ausguck und auf Zehenspitzen gehe ich mit den beiden in den hinteren Bühnenraum, um noch einmal die bereitliegenden Requisiten zu überprüfen. Da liegt das große Messer neben dem Rührlöffel, dem Topf, neben dem

Fleischpaket und der Dose grüne Bohnen. Alles ist da.

»Eh, Feuerberg ist fertig«, ruft da Dieter zu uns nach hinten.

Das ist unser Zeichen zum Start.

»Seid ihr so weit?«, frage ich. »Auf, jetzt geht's in die Startlöcher.«

Ich verlasse als erste die Bühne, um unten in der Halle neben dem Scheinwerfer meinen Platz einzunehmen. Die Spieler, deren Auftritt nicht auf der Bühne, sondern unten in der Halle beginnt, folgen mir. Während Frau Hallmann, Dieter, Herr Beifuß und die türkische Familie durch den Zuschauerraum an ihre Plätze gehen, drehen sich die Schüler neugierig nach ihnen um. Spannung liegt über dem Raum. Nun drückt Piet die Taste des Recorders. Laute Rockmusik tönt in die Halle. Viele der Zuschauer erkennen ihre Lieblingsmelodie, ein paar klatschen den Rhythmus mit.

Der freie Platz vor der Bühne erstrahlt hell im Scheinwerferlicht. Das Spiel beginnt. Dieter und Herr Beifuß gehen bei leiser werdender Musik aufeinander zu.

Das Publikum folgt aufmerksam, lacht an den Stellen, an denen wir es erhofften, aber auch da, wo es niemand vermutet hätte. Manche geben durch kurze Zwischenrufe ihre Kommentare dazu.

Das feuert die Spieler an, ermuntert sie, sie werden immer gelöster, spielen einfach ihre anfängliche Angst weg.

Ganz hinten, in meiner Blickrichtung, sitzen die Skinheads, vor denen Chris und Dieter so großen Respekt haben. Sie haben ihre Füße auf die Lehnen der Vordersitze gelegt, geben sich gelangweilt. Aber sie sehen zu. Wie werden sie reagieren, wenn türkische Musik ertönt, wenn Turhal sein Saz, das langhalsige Saiteninstrument, zu spielen beginnt?

Gleich ist es so weit. Sie stehen schon bereit: Vater Öztürk mit Koffer, Mutter Öztürk, Melek und Hamide mit großen Reisetaschen und Achmed mit einem verschnürten Karton. Gleich werden sie ihre Einreise in die Bundesrepublik spielen.

Piet gibt Turhal das Zeichen zum Einsatz. Die Töne seines Instruments singen, summen und schwirren durch die Halle, nehmen gefangen. Wie gebannt blicken einige türkische Schüler aus den ersten Reihen auf Turhal.

Familie Öztürk nimmt das Gepäck auf, bewegt sich auf die Bühne zu. Noch bevor sie alle in den Lichtkegel des Scheinwerfers treten, verstummen die Saz-Klänge, abgelöst vom lang gezogenen Pfiff einer Dampflok und dem Stampfen und Rattern eines Zuges, dessen Geräusche von Piets Kassettenrecorder kommen.

»Vater, ich möchte lieber in unserem Dorf bleiben. Warum muss ich nach Deutschland?«, tönt laut und sicher Sevims Stimme durch die Halle.

Niemand von den Zuschauern lacht, niemand macht dumme Bemerkungen über die Türken, auch nicht die Skinheads. Alle sehen zu, hören zu.

Endlich setze ich mich auf den bereitgestellten Stuhl. Meine Spannung lässt nach. Das Spiel geht weiter. Die Szenen laufen ab. Applaus, Staunen, Neugierde, Interesse, wieder Applaus. Ich registriere ihn mit Freude. Wenn Piet seine Rolle spielt, bediene ich den Cassettenrecorder.

Ich sitze neben Turhal. Turhal beobachtet aufmerksam das Spielgeschehen. Erst seit gestern ist er mit dabei. Ich kannte ihn vorher nicht, wusste nichts von ihm. Er war gestern einfach auf der Probe, erklärte, er wolle zwischen den Szenen Saz spielen. Ali, sein Cousin, habe ihm gesagt, ein echter Spieler sei besser als Cassette. Nachmittags langweile er sich sowieso zu Hause, da er im Augenblick arbeitslos sei.

So hat sich Turhal gestern das Theaterstück angesehen und sich Notizen in den Text geschrieben: freudiges Spiel, langsames oder trauriges Spiel. Heute spielt er nach seinen Notizen. Es war gut, dass Ali ihn mitgebracht hat. Turhal spielt so, als kenne er unser Stück schon seit langem, als sei ihm der Inhalt vertraut.

Pause in der Mitte des Stücks: Ein paar Schüler kommen auf die Bühne. »Ein astreines Stück«, sagt einer, »dass ihr so was spielt, hätte ich nicht gedacht.« »Das ist ja wie im richtigen Theater!«, sagt ein anderer.

Die Spieler strahlen über das Lob.

Es geht wieder weiter. Der Diebstahl im Haus wird allmählich aufgeklärt.

Großer Applaus am Schluss. Auch die Skinheads klatschen. Wenn die Premiere so gut klappt, können wir alle zufrieden sein.

Die Spielgruppe versammelt sich oben auf der Bühne. Da kommt Willi Feuerberg mit einem Tablett voller Negerküsse. Freudig erregt und mit weißem, süßem Schaum um den Mund reden die Spieler durcheinander, freuen sich über die geglückte Generalprobe.

»Ihr habt alle toll gespielt«, lobt Willi Feuerberg, »und ich drücke euch die Daumen für die Premiere.«

Beim Hinausgehen sagt er leise zu mir: »Siehst du, Hamide war doch da. Konnte ich mir doch gleich denken, dass sie bei der Generalprobe nicht fehlt.«

Wir räumen noch die Bühne auf, legen die Sachen für die Premiere zurecht. Die Spieler verabschieden sich.

»Mein Vater darf nicht erfahren, dass Turhal hier war«, sagt Hamide beim Abschied.

»Warum nicht, Hamide?«, frage ich erstaunt.

»Weil er schon ein richtiger Mann ist, ich kann nicht einfach mit ihm zusammen sein. Das schadet meinem Ruf.«

»Er soll es nicht erfahren«, beruhige ich sie.

Sie geht.

15

Am nächsten Morgen habe ich, wie jeden Freitag, die erste Stunde in der siebten Klasse. Ich freue mich schon darauf, ein paar Schüler aus der Theatergruppe wieder zu sehen. Wenige Schritte vor dem Klassenraum fällt mir auf, dass etwas an die Tür geschrieben ist.

›Haben sie jetzt auch schon die Klassentür beschmiert!‹, denke ich und will die Klinke anfassen. Wie erstarrt bleibe ich stehen und lese: Chris ist ein Türkenknecht! Türken raus!

Gestern war das Türblatt noch sauber, grasgrün gestrichen, glatt, leer. Es muss im Laufe des Tages beschmiert worden sein. Vielleicht nach dem Theaterspiel?

Ich bringe es immer noch nicht fertig, die Klassentür zu öffnen. Angst frisst sich fest. Ich weiß, was solche Schmierereien an den Türen von Juden im Dritten Reich bedeutet haben: Hetze, Diffamierung, Beginn einer Vernichtung von unsagbar vielen Menschenleben. Ich spüre, wie ich unwillkürlich nach einer Rechtfertigung suche, wie ich Chris entschuldigen will. Chris hat doch niemand etwas getan, er hat doch nur für die Türken … um Gottes willen, in welche Richtung verirre ich mich! Nicht wir haben uns zu entschuldigen, sondern die, die solche Parolen im Munde führen.

Von innen wird die Tür geöffnet. Hassan schaut heraus.

»Haben Sie schon gesehen, was da dran steht?«, fragt er mich. »Das haben die aus der neunten Klasse gemacht. Wir haben sie wegrennen sehen.«

»Hat das die Klasse schon gelesen?«, frage ich ihn.

»Ja, ich glaube, das wissen alle, auch Chris. Wir haben versucht, es wegzuwischen, aber die Farbe sitzt fest.«

Ich betrete den Klassenraum. Fünfundzwanzig Schüler sitzen da und schauen mich an. Langsam gehe ich zu meinem Stuhl, nehme ihn auf und trage ihn in den Klassenraum, setze mich mitten unter die Schüler, dann sehe ich zu Chris hinüber. Der schaut unter sich.

›Habe ich mir zu viel vorgenommen mit dem Theaterstück? Will ich etwas erzwingen, was nur in Generationen bewältigt werden kann? Mute ich meinen türkischen und meinen deutschen Schülern zu viel zu?‹

Da höre ich in meine Gedanken hinein die Stimme von Thomas: »Die wollen uns nur aufhetzen gegen Chris, Hamide und die anderen Türken, aber da liegen sie bei uns falsch!«

Ich staune, dass solche Worte ausgerechnet von Thomas kommen. Er war doch einer von denen, die Hamide besonders laut mit »Kanakin« beschimpft hatten.

»Thomas hat Recht!«, ruft Ute in die Klasse.

Antje steht auf, nimmt wortlos das Poster von einem Popstar von der Wand und geht zur Tür. »Ich kleb das mal drüber«, sagt sie, »dann ist es erst mal weg.«

Hüseyn folgt ihr. »Ich helfe dir«, erklärt er.

In die entstehende Unruhe hinein sagt Hamide leise: »Chris ist kein Türkenknecht, er ist unser Freund.«

Trotzdem haben es alle gehört, Chris wird rot und winkt ab. »Ich gehe rüber und diskutiere mit der Neunten«, sagt er und erhebt sich.

»Lass das lieber!«, meint Thomas. »Da kommt nichts dabei raus. Wir müssen zusammenhalten, das ist die Hauptsache.«

Chris setzt sich wieder hin. »Verdammte Schweinerei«, sagt er zähneknirschend.

Ich blicke mich in der Klasse um. Keineswegs alle sind mit dem einverstanden, was Chris, Thomas, Antje und Ute sagen. Udo murmelt etwas vor sich hin, das ich nicht verstehen soll. Er wagt vor mir nicht laut zu sagen, was er denkt. Auch andere schauen jetzt weg, beschäftigen sich mit ihren Federmäppchen oder flüstern miteinander.

›Ist unser Theaterstück für diese Schüler umsonst?‹, frage ich mich wieder verzweifelt und wage nicht mehr auf unsere Generalprobe zurückzukommen. Ich beginne mit dem Unterricht.

16

Willi Feuerberg bremst scharf.

»Hier müsste es doch sein«, meint er und kurbelt die Scheibe herunter.

Ich sehe ebenfalls durch das Fenster, die Häuserzeile auf und ab. Aber nichts deutet auf eine Änderungsschneiderei hin, da stehen nur Wohnhäuser.

»Lass uns noch um die Kurve fahren, vielleicht liegt sie weiter unten. Zu dumm, dass wir keine Hausnummer haben«, antworte ich.

Willi Feuerberg rollt langsam mit seinem Wagen die Biegung der Straße entlang. Ich habe die rechte Häuserfront im Auge.

»Halt mal an, das könnte sie sein«, rufe ich.

Ein Fenster neben der Eingangstür ist größer als die anderen, und eine Tafel hängt darin. Ich steige aus und gehe auf das Haus zu. Ein Stockwerk höher lehnt eine alte Frau am Fenster und sieht hinaus. Ja, wirklich, da steht es auf der Tafel:

ÄNDERUNGSSCHNEIDEREI
WIR NÄHEN ALLES, WIR ÄNDERN
UND BESSERN AUS

Die Tür ist zu. Ich klopfe wieder und wieder, klingele, niemand macht auf.

»Hallo!«, kommt es von oben.

Ich sehe zu der alten Frau hinauf.

»Die machen jetzt Mittagspause, um drei Uhr sind sie alle wieder da«, ruft sie mir zu.

»Wissen Sie, ob das Mädchen Hamide heute mit dabei war?«, frage ich.

»Ja, sie war heute Vormittag mit den Eltern hier.«

»Sie kennen die Familie?«, frage ich.

Da wird die alte Frau gesprächig: »Diese Jacke hat Hamide gestrickt. Hamide ist wirklich fleißig. Da kann sich meine Enkelin 'ne Scheibe von abschneiden. Aber die ist schon siebzehn. Sie kommt nur, wenn sie Geld braucht.«

Ich kann mich aber jetzt nicht auf ein solches Gespräch einlassen. Wir müssen Hamide finden und mit ihrem Vater reden. Am Abend ist die Premiere unseres Stückes, und Hamide war heute früh nicht in der Schule. Wir müssen sie finden. Schnell laufe ich zurück zum Auto des Schulleiters, der gemeinsam mit mir Hamide und ihren Vater sucht.

»Zurück, zu ihr nach Haus, sie machen Mittagspause«, rufe ich ihm zu und wir fahren los. Unterwegs erzähle ich ihm, dass Hamide den Eltern stricken hilft.

Willi Feuerberg schweigt dazu. In seinem Kopf arbeitet es. Immer, wenn er nicht antwortet, denkt er sich etwas aus, das etwas später als Entschluss da ist. So kenne ich ihn.

Schon zum zweiten Mal biegen wir heute in die

schmale Straße mit den kleinen Giebelhäusern ein, in der Hamide wohnt. Vor einer knappen Stunde waren wir hier, standen vor verschlossener Wohnung. Im Nachbareingang spielten zwei türkische Jungen mit Spielzeugautos. Einer von ihnen war Murat. Ich erkannte ihn gleich. Hamides kleiner Bruder wollte aber nicht sagen, wo seine Schwester ist. Erst als ich fragte, ob sie vielleicht in der Änderungsschneiderei sei, nickte er fast unmerklich.

»Und wo ist die? Wie heißt die Straße?«, bohrte ich weiter. »Lange Straße«, sagte er dann nach einigem Zögern.

Zum Glück hatte Willi Feuerberg einen Stadtplan im Auto, und so fuhren wir los.

Feuerberg parkt sein Auto nicht direkt vor Hamides Wohnung, sondern ein paar Häuser weiter. Bevor wir aussteigen, sieht er mich an: »Es ist jetzt nur wichtig, dass Hamide heute Abend spielen darf. Über die Änderungsschneiderei reden wir ein andermal, einverstanden? Und nicht vergessen, Kollegin, das wird ein Gespräch unter Männern.« Er hebt verschmitzt lachend den Zeigefinger.

Das letzte hätte er sich sparen können. Ich weiß genau, warum ich ihn heute Mittag gebeten habe, mitzukommen. Natürlich ärgert mich das. Aber es geht um Hamide.

Wieder stehen wir vor Hamides Wohnungstür. Ich drücke den Klingelknopf neben dem Namen Yilmaz. Wir warten. Hamide öffnet uns, ich sehe nur ihre erschrockenen Augen, wie ihr Blick erstarrt.

»Hallo, Hamide, wir kommen um mit deinem Vater zu sprechen wegen heute Abend.«

»Ja«, sagt sie, »warten Sie, ich will es ihm sagen.«

Hamide lässt uns in den Flur eintreten und verschwindet in einem Zimmer.

Von drinnen hören wir leise gesprochene türkische Worte. Aber gleich drauf geht die Tür auf.

»Bitte schön«, sagt Hamide und winkt uns herein.

Vor uns, im tadellos sitzenden dunklen Anzug, steht ihr Vater. Er begrüßt uns höflich, und es hat fast den Anschein, als freue er sich über unseren Besuch. Aber das kann doch gar nicht sein. Wir nehmen auf dem Sofa zwischen buntbestickten Kissen Platz. Hamide verlässt das Zimmer.

»Es ist gemütlich bei Ihnen«, sagt Willi Feuerberg.

Herr Yilmaz nickt zustimmend. Leise betritt Hamides Mutter den Raum, sie trägt drei kleine Teegläser in zierlichen Messingbehältern auf einem Tablett. Freundlich nickt sie uns zu und füllt die Gläser mit Tee aus dem Samowar, der auf einem Ecktischchen steht. Nachdem sie die Gläser vor uns auf den Tisch gestellt hat, verlässt sie wieder das Zimmer. Wäre nicht auch ein Glas für mich serviert worden, würde ich jetzt zu Hamide und ihrer Mutter hinausgehen und nicht bei den Männern sitzen bleiben.

Während wir den köstlich schmeckenden Tee probieren, entwickelt sich langsam ein Gespräch zwischen Willi Feuerberg und Hamides Vater. Mein Schulleiter lobt das Getränk, fragt nach der Gesundheit und dem Wohlbefinden des Vaters, bedauert seine nun schon so lange währende Arbeitslosigkeit. Nun beginnt er die Deutschkenntnisse Hamides zu loben. Herr Yilmaz lächelt stolz.

»Wie Sie ja wissen, spielen wir im Deutschunterricht auch Theater, dabei wird natürlich die deutsche Sprache sehr eingeübt«, wendet sich Feuerberg langsam dem Thema zu.

Herr Yilmaz sitzt mit unbewegter Miene da.

»Hamide spielt in unserem Theaterstück eine wichtige Rolle, und sie macht ihre Sache sehr gut«, sagt Feuerberg.

Herr Yilmaz hört zu und schweigt. Er scheint genau zu wissen, warum wir hier sind. Und ich wünsche mir, Feuerberg würde es auch endlich aussprechen. Ich bleibe lieber stumm, halte mich mit Anstrengung zurück. Da kommt es: »Wir sind hier, weil wir Hamide dringend brauchen. Heute Abend ist Premiere, und ohne Hamide gibt es kein Spiel.«

Vater Yilmaz hebt sein Teeglas, nimmt einen Schluck, behält das Teeglas in halber Höhe in der Hand. »Aber Hamide ist krank«, sagt er und sieht dabei Feuerberg in die Augen.

Nun ist es der Schulleiter, der schweigt und sein Teeglas an die Lippen führt. Hier darf nichts übereilt werden. Ein gutes Gespräch braucht seine Zeit.

Nach einer kleinen Weile ruft Vater Yilmaz etwas, ich verstehe nur *tschai* und *Nalan.* Wieder erscheint die Mutter, sie füllt noch einmal unsere Gläser mit Tee. Jetzt setzt sie sich zu uns.

»Hamide hat so oft Kopfschmerzen«, greift der Vater das Gespräch wieder auf.

›Aha, er schiebt die Krankheit vor und lässt sein Kind für sich arbeiten‹, schießt es mir durch den Kopf. Ich sehe Hamides Vater jetzt lieber nicht an, sonst sieht er den Zorn in meinen Augen. Ich schaue zur Mutter hin, versuche in ihren Blicken Verständnis zu finden. Sie lächelt freundlich. Ich erkenne eine Ähnlichkeit zwischen ihr und Hamide, und ich sage es ihr. Sie nickt mit dem Kopf.

Durch die halboffene Tür sehe ich Hamide im Flur stehen und lauschen. Mit den Zähnen beißt sie auf der Unterlippe herum.

»Ich bin zwar kein Arzt«, sagt nun Willi Feuerberg, »aber Hamide sieht doch heute richtig gesund aus.«

»Hamide, komm herein!«, ruft Vater Yilmaz mit lauter Stimme.

Schon steht sie vor uns, wartet ab, bevor sie sich setzt.

»Hast du heute Kopfschmerzen?«, fragt der Vater.

»Es geht«, sagt sie leise.

So ängstlich habe ich Hamide noch nie erlebt. »Komm, setz dich zu mir«, sage ich zu ihr.

Hamide setzt sich neben mich.

»Ich lade Sie und Ihre Frau auch ganz herzlich zu dem Theaterstück ein. Sie werden staunen, wie gut Hamide spielt. Wir haben alle türkischen Eltern der Schule eingeladen, ich hoffe sehr, dass viele Ihrer Landsleute kommen.«

Damit hat Feuerberg genau das Richtige gesagt. Vater Yilmaz reagiert nach einer Weile.

»Gut, wenn du heute Abend keine Schmerzen hast, kannst du spielen«, sagt er, »vielleicht, ich werde sehen, vielleicht komme ich auch.«

›Wir haben gewonnen‹, denke ich und lege vor Freude meinen Arm um Hamide.

Sie sagt nichts, bewegt sich auch nicht.

»Das Theaterspiel wird heute Abend anstrengend für Hamide. Es wäre gut, wenn sie sich bis dahin noch ein wenig ausruhen könnte«, sage ich zur Mutter.

Die sieht zu ihrem Mann hinüber und antwortet nicht. Sicher denkt sie an den Auftrag und an die Strickmaschine.

Wir verabschieden uns.

Im Auto fragt mich Willi Feuerberg: »Glaubst du, dass sie kommt?«

Ich zucke mit den Achseln.

17

Fünfzehn Minuten vor acht Uhr, fünfzehn Minuten vor Beginn der Premiere. Mehr und mehr füllt sich die Zuschauerhalle, türkische und deutsche Eltern setzen sich gemeinsam in die Reihen. Viele der türkischen Frauen tragen Kopftücher, sie unterhalten sich lebhaft miteinander. Ich kann mich nicht erinnern, jemals in dieser Schule so viele Ausländer und Deutsche zusammen gesehen zu haben. Premiere im doppelten Sinn!

Wenn nur Hamide kommt! Sie fehlt noch, obwohl schon alle anderen Spieler hinter dem Bühnenvorhang warten. Angst beschleicht mich. Sollte sie doch nicht zur Premiere kommen dürfen? Herr Yilmaz hatte es von ihren Kopfschmerzen abhängig gemacht. Ich weiß doch, wie gern Hamide Theater spielt! Selbst wenn sie Schmerzen hätte, würde sie das heute ihrem Vater verschweigen. Durch die Glastür spähe ich immer wieder nach draußen, sehe, wie die Zuschauer erwartungsvoll hereinkommen. Hamide ist nicht dabei.

Chris sollte eigentlich wie die anderen Spieler längst auf der Bühne sein, aber er weicht nicht vom Eingang, weicht nicht von meiner Seite. Immer wieder sagt er: »Ich hätte sie abholen sollen. Wo bleibt sie bloß! Wir können doch gar nicht anfangen ohne Hamide!«

Auch Willi Feuerberg verliert langsam seine

Ruhe. Während er die Hereinkommenden begrüßt, schaut er zu mir herüber und zuckt mit den Schultern. Es ist jetzt fünf Minuten vor acht. Da! Das muss sie sein! Ich erkenne sie an ihrem weit ausholenden Schritt, an ihrem Koffer, in dem sie ihr sicherlich frisch gebügeltes rotes Traumkleid trägt. Sie betritt mit verweintem Gesicht die Halle, geht, ohne nach rechts oder links zu sehen, auf den Bühneneingang zu. Chris läuft hinter ihr her, hält ihr die Tür auf. Ich sehe noch, wie Herr Yilmaz die Halle betritt, hinter ihm seine Frau mit den beiden Kleinen, wie Willi Feuerberg sie begrüßt. Dann muss ich selbst auf die Bühne zu meinen Spielern.

Die Spieler stehen um Hamide herum, helfen ihr, sich umzuziehen. Hamide beeilt sich, sagt nichts, fragt nichts. Während vorn der Schulleiter die Begrüßungsrede hält, hebt Yildiz Hamide den Spiegel vors Gesicht, damit sie ihr Kopftuch umbinden kann. Jetzt ist sie fertig. Gott sei Dank!

»Du hast es geschafft«, sagt Ute zu Hamide.

Diesmal scheinen alle Spieler konzentriert, nicht so aufgeregt wie bei der Generalprobe. Das Spiel beginnt.

Hamide spielt ihre Rolle ernst, verhalten, nicht so frisch wie sonst. Sie sucht, während sie spielt, im Publikum ihren Vater. Der sitzt weit vorn neben Feuerberg, beobachtet aufmerksam das Spielgeschehen, nickt ihr zu.

Ich wundere mich über Chris. Er spielt heute

den türkischen Vater besonders engagiert. »Was geht die Deutschen dein Kopftuch an!« Er schlägt heute härter als sonst mit der Faust auf den Tisch. Bei den türkischen Frauen im Zuschauerraum findet er Zustimmung. Ich sehe, wie einige nicken.

Nach dem langen Gespräch in der türkischen Küche ist es dann so weit. Hamide braucht das Kopftuch in der Schule nicht mehr umzubinden. Sie zieht es vom Kopf, legt, nein, heute wirft sie ihr Tuch auf den Tisch, es rutscht mit Schwung über die Tischfläche, fällt auf den Boden.

»Oh Vater, danke, dass du mir erlaubst, ohne Kopftuch zur Schule zu gehen. Nun werden mich die deutschen Kinder nicht mehr ärgern, dann bin ich so wie sie!«

Ein Raunen geht jetzt durch die Reihe der türkischen Frauen, die mit ihren umgebundenen Tüchern dasitzen. Am Schluss dieser Szene klatschen viele, diese Frauen klatschen nicht.

Vor der Pause gibt es großen Applaus. Wir freuen uns.

Nun lagern sich die Spieler entspannt am Bühnenboden, trinken Cola. Eine Tüte mit selbst gemachten türkischen Bonbons von Sevims Mutter macht die Runde.

»Hamide soll nach unten kommen!«, ruft da jemand durch den Schlitz im Bühnenvorhang. Hamide steht auf, geht hinunter, ich sehe ihr nach. Unten im Gang wird sie von zwei jungen türkischen Frauen empfangen. Sie reden heftig in türkischer Sprache auf sie ein. Hamide scheint sich zu verteidigen. Ich gehe zu ihnen, frage einfach, worum es geht.

»Sie sagen, ich darf das Tuch nicht so schnell vom Kopf reißen. Die Deutschen denken sonst, die türkischen Frauen wollen gar keine Tücher tragen, und das stimmt nicht«, erklärt mir Hamide.

›Auch das noch‹, denke ich, ›jetzt drängen sie Hamide auch noch ein schlechtes Gewissen auf.‹

»Ich weiß schon, was ich mache«, sagt Hamide zu den beiden, »das nächste Mal binde ich das Kopftuch ganz langsam ab.«

Wieder reden sie türkisch auf Hamide ein.

Zum Glück kommen Yildiz und Sevim dazu, und es gibt erst eine Begrüßung zwischen den Frauen und Mädchen. Hamide sagt schnell: »Ich muss zu meinem Vater« und läuft fort.

Herr Yilmaz ist mit anderen Landsleuten in ein Gespräch vertieft.

Hamide stellt sich neben ihn, wartet, bis er sie bemerkt. »Hab ich's gut gemacht?«, fragt sie ihn erwartungsvoll in deutscher Sprache.

»Ja, es ist gut«, antwortet er ebenfalls deutsch und legt ihr für den Bruchteil einer Sekunde die Hand auf die Schulter. Schnell wendet er sich wieder seinen Gesprächspartnern zu.

Hamide hüpft, wohl beschwingt durch das Lob, zu ihrer Mutter, die mit den Brüdern abseits steht. Sie nimmt Murat auf den Arm, küsst ihn. Chris hält sich dauernd in Hamides Nähe auf, er lässt sie nicht aus den Augen.

Das Klingelzeichen zum Pausenschluss! Hamide läuft durch die Stuhlreihen nach vorn. Chris folgt ihr, ich sehe, wie er ihr Erdnüsse aus einer kleinen aufgerissenen Tüte in die Hand schüttet. Lachend verschwinden sie hinter dem Bühnenvorhang. Ob Herrn Yilmaz das recht ist? Ich suche ihn in der ersten Reihe mit den Augen. Dort drüben steht er noch, diskutiert mit seinen Landsleuten, hat wahrscheinlich gar nicht bemerkt, wie Hamide mit Chris sprach.

In die verebbenden Geräusche der Pause klingt Turhals Saz-Spiel. Wieder verzaubert er mit seinen Tönen die Zuschauer. Sie werden ruhig, hören ihm zu und warten auf den Fortgang des Spiels.

Jetzt fühlen sich die Spieler frei und sicher. Sie haben keine Angst mehr vor dem Publikum, sie haben gespürt, dass sie ankommen.

Auch Hamides Stimme ist sicherer geworden, ihre Bewegungen auf der Bühne werden mutiger.

Die echte Hamide ist als Hamide im Spiel von ihrem Vater akzeptiert worden, endlich, nach fast einem halben Jahr.

Auch Olaf und Heino ernten Applaus. Nach vielen lustigen, spannenden und nachdenklichen Szenen ist unsere Aufführung zu Ende gegangen. Am Schluss will der Beifall nicht enden. Wieder und wieder werden die Spieler herausgeklatscht. Das tut ihnen nach all der Anstrengung gut.

Jetzt liegt die Halle in großer Stille. Alle sind fort, bis auf Piet und Chris, die noch einmal die Beleuchtungsanlage kontrollieren. Erschöpft, aber froh sind die anderen Spieler mit ihren Eltern bereits nach Hause gegangen.

»Ich habe nicht mehr daran geglaubt, dass Hamide noch kommt«, sagt Chris, als wir die Halle verlassen.

»Hat sie dir eigentlich erzählt, warum sie heute Abend so spät dran war?«, frage ich Chris. Ihm hat sie es vielleicht gesagt.

»Ja«, antwortet er langsam, »sie musste noch eine Jacke stricken, die bis heute Abend fertig sein sollte. Hamide hat den ganzen Nachmittag gleichzeitig gestrickt und geheult. Punkt sieben war sie fertig. Dann erst hat ihr Vater gesagt: ›Gut, wir gehen alle.‹«

»Mann, den Stress hätte ich nicht ausgehalten«, sagt Piet, »meine Mutter hat mir'n ganz tolles Abendbrot gemacht, und am Nachmittag habe ich anständig gepennt.«

»Aber sie hat es trotzdem geschafft«, sage ich, selbst schon ziemlich müde. Wir verabschieden uns.

Zu Hause kann ich noch lange nicht einschlafen. Immer wieder gehen mir die Bilder vom Tag und vom Abend durch den Kopf: die Suche nach Hamide, das Gespräch im Wohnzimmer von Familie Yilmaz, die volle Zuschauerhalle, Hamides abgehetztes Gesicht, dann Hamides frohes Gesicht, als sie beim Vater stand, und schließlich Hamides glückliches Gesicht, als Chris ihr übers Haar strich und flüsterte: »Du glaubst gar nicht, wie froh ich war, als du endlich zur Tür hereingekommen bist, Hamide!«

18

»Die Landschaft da draußen sieht genauso aus wie in der Türkei«, sagt Yildiz. Sie wischt sich immer wieder einen kleinen Ausblick auf dem beschlagenen Zugfenster frei.

Ich schaue auch einmal durch ihren Ausguck. Draußen ist flaches Land, und im Hintergrund, zwischen trockenen Weiden und Wiesen, umsäumen hohe Pappeln einen hellen Weg. »Gibt es bei euch zu Hause auch Pappeln?«, frage ich ungläubig.

»Ja, natürlich«, antwortet sie.

Sevim sitzt neben Yildiz, sie will auch einmal hinausgucken. Sie wischen sich mit ihren Jackenärmeln einen größeren Ausguck frei. Sevim schlingt ihren Arm um Yildiz, und gemeinsam sehen sie hinaus.

Wir sitzen im Zug. Unsere Spielgruppe ist von einer Schule im Nachbarort eingeladen worden. Heute sollen wir dort unser Stück vorspielen.

Voll freudiger Aufregung haben sich alle Spieler auf diese Tournee vorbereitet. Jetzt sitzen sie fröhlich plaudernd im Abteil, auch Turhal ist dabei. Das Instrument liegt auf seinen Knien, und ganz vorsichtig hält er es mit den Händen fest.

»Ich fahre heute das erste Mal wieder Zug, seitdem ich aus der Türkei gekommen bin«, sagt er, als ich mich ihm gegenüber auf die Bank setze. Sein Gesicht ist ernst. »Damals hatte ich auch mein Saz dabei und noch eine große Tasche. Ich fuhr zu meinem Bruder Cemal, der schon in Hamburg war. Mein Vater wollte mich in der Türkei behalten, es war ihm nicht recht, dass alle seine Söhne in Deutschland arbeiten. Aber ich wollte unbedingt weg. Ich dachte, in Deutschland ist alles besser, ich werde immer gute Kleider haben und genug zu essen, und von einem Auto habe ich natürlich auch geträumt. Für meine Fahrkarte hat mein Vater schließlich einen Teil seiner Schafherde verkauft. Dann ist er zum Lehrer gegangen und hat ihn gebeten, einen Brief an meinen Bruder zu schreiben, dass ich käme und dass er mich am Bahnhof in Hamburg abholen soll.«

Ali sitzt neben seinem Freund Turhal, er hört zu und nickt, sicher kennt er Turhals Geschichte schon.

Er schweigt, und Turhal fährt fort: »Vom Dorf zur Bushaltestelle war es ein weiter Weg. Ich bin ganz allein von zu Hause fortgegangen. Immer wieder habe ich in der Tasche nachgefühlt, ob die Fahrkarte und der Zettel mit der Adresse von meinem Bruder noch da sind. Später, im Zug von Istanbul nach München, saßen viele Türken, die schon in Deutschland arbeiteten. Sie gaben mir auf der Reise etwas zu essen, weil mein Brot schon längst alle war. Mit meinem türkischen Geld konnte ich auf den Bahnhöfen nichts kaufen.«

»Und hat dich dein Bruder abgeholt?«, frage ich, als Turhal eine Pause macht.

»Nein«, erwidert der junge Mann, »in Hamburg war niemand am Bahnhof. Tausend Leute waren da, aber niemand für mich. Ich dachte, mein Bruder hat mich vergessen. Ich dachte, er will mich nicht bei sich haben. Als der Zug weiterfuhr, liefen mir die Tränen über die Backen, ich konnte nichts dagegen tun. Eine deutsche Frau hat das gesehen und ist auf mich zugegangen. Sie hat viel geredet, aber ich habe nichts verstanden. Ich habe noch mehr geheult, und dabei war ich schon vierzehn. Endlich fiel mir der Zettel mit der Adresse meines Bruders ein, den ich in der Tasche hatte. Ich zeigte ihn der Frau, aber ich habe ihn ganz fest gehalten, ihn nicht aus der Hand gegeben. Dann hat die Frau mich an der Hand genommen, mich fortgezogen durch die vielen Leute am Bahnhof und mich zu sich nach Hause mitgenommen. Dort hat sie mir etwas zu essen gegeben. Später kam ihr Mann, er war auch freundlich zu mir. Er hat mich dann mit seinem roten Ford zu Cemal gefahren, der wohnte in einem Vorort von Hamburg.«

»Und der Brief?«, frage ich atemlos.

»Der Brief kam erst drei Tage später an.« Turhal lacht unvermittelt. »Das ist schon lange her, sechs Jahre. Ich will nicht mehr zurück in mein Dorf, ich will hier bleiben.«

Hamide hält uns eine große Papiertüte vor die Nase. »Wollen Sie welche?«, fragt sie uns. Die Tüte ist gefüllt mit Sonnenblumenkernen. »Die sind von Ayla! Sie kennen sie doch, Frau Weißenbach, sie verkauft Gemüse in dem türkischen Geschäft bei der Schule.«

»Von Ayla? Wie kommt die dazu, uns so viel Proviant mitzugeben?«, frage ich erstaunt.

»Sie hat sich unser Stück angesehen und war ganz begeistert. Deshalb hat sie uns die Kerne geschenkt.«

Hamide schüttet jedem ein Häufchen in die Hand und zeigt, wie man die Sonnenblumenkerne öffnet. Und während die Schüler lachen, die türkischen Kerne knacken, vergrößert sich unter ihren Sitzen ein Häufchen trockener Schalen.

»Gibt es in der Schule, in der wir heute spielen, auch türkische Schüler?«, fragt Ali zu mir herüber.

»Ja, natürlich, eine ganze Menge. Sie sind schon gespannt auf euch«, antworte ich.

Er lacht, scheint sich zu freuen.

Antje hält den Vogelkäfig die ganze Zeit auf den Knien, sie braucht ihn für das Zimmer der einsamen Oma Berger. »Vor einem halben Jahr hätte ich nicht geglaubt, dass aus unserem Spiel so etwas Gutes wird«, sagt sie.

Yildiz und Sevim sehen immer noch eng umschlungen aus dem Fenster.

»Gleich müssen wir aussteigen«, sage ich nach einer Weile. Beim Aufstehen sehe ich auf Yildiz' Gesicht Tränen.

Sie lächelt mich an: »Es ist nur, weil die Pappeln bei uns in Anatolien gerade so aussehen. Manchmal habe ich noch Heimweh.«

Ich steige als Letzte aus und schaue noch einmal zurück auf die leeren Sitze, ob auch nichts liegen geblieben ist. Da sehe ich noch etwas Grünes auf Hamides Sitz: Es ist ihr grünes Kopftuch. Ich nehme es an mich, laufe den anderen nach und rufe: »Hamide, sieh mal, was du vergessen hast!«

19

Die Sommerferien liegen hinter uns. Sie brachten die notwendige Erholung nach den Anstrengungen und Aufregungen des letzten Jahres für Lehrer und Schüler. Heute ist der erste Schultag.

Ich freue mich, meine Schüler, vor allem aber die Spieler der Theatergruppe, wieder zu sehen. Gleich gehe ich in Hamides Klasse und sage allen guten Tag. Hamide ist wieder einmal nicht da. Das ist eine Enttäuschung. Aber ich fasse mich schnell. Ein paar Tage will ich abwarten, bis ich mich näher nach ihrem Befinden erkundige.

Der Schulbetrieb nimmt wieder seinen Lauf. Der Beginn eines jeden neuen Schuljahres bringt viel Arbeit mit sich, und ich vergesse darüber, nach Hamide zu fragen. Doch jetzt fällt mir ihr Fehlen wieder auf. Schon acht Tage ist sie nicht in der Schule. Auf dem Schulhof treffe ich Antje und frage, ob sie etwas von ihr weiß.

»Nein, Frau Weißenbach, ich habe Hamide nach den Ferien nicht wieder gesehen. Vielleicht liegt sie noch im Krankenhaus«, antwortet sie mir.

»Im Krankenhaus?«, wiederhole ich verwundert.

»Ja, sie hatte ja wieder Kopfschmerzen. Chris weiß es genau, er hat sie dort mal besucht.«

Die letzten Worte ruft mir Antje nur noch zu, weil sie von einer Schar Mädchen fortgezogen wird. Sie laufen zusammen über den Schulhof zu einer dicht beieinander stehenden, quietschenden Mädchengruppe, die von mehreren Jungen umzingelt wird. Noch immer liegt Ferienstimmung in der Luft. Die Septembersonne meint es noch gut und strahlt helles Licht über das fröhliche Pausengetümmel.

Aber was mag mit Hamide in den Ferien geschehen sein? Sie war doch so froh, in den letzten Schultagen vor der Sommerpause. Ihr Zeugnis war gut ausgefallen, das Theaterspiel geglückt. Sie hatte Freunde, die ganze Spielgruppe mochte sie. Ich muss Chris finden.

Nach der Pause sehe ich in sein Klassenzimmer hinein. »Er ist heute nicht zur Schule gekommen«, sagt Dieter, sein Banknachbar, »ihm ging es die ganzen Tage nicht gut.«

Ich lasse mir seine Telefonnummer aufschreiben und verschwinde schnell aus der Klasse, weil der Geschichtsunterricht schon begonnen hat.

Heute habe ich früher Unterrichtsschluss. Am besten, ich rufe Chris gleich von zu Hause aus an.

Chris meldet sich. Er freut sich, als ich ihm vorschlage, bei ihm vorbeizukommen. »Da kann ich viel besser reden«, sagt er.

Im blank polierten Treppenhaus rutsche ich fast aus. »Neumann« steht auf dem Messingschild, hier muss es sein. Gerade will ich die Klingel drücken, da öffnet Chris schon die Tür. Er hat mich vom Fenster aus kommen sehen. Wir gehen ins Wohnzimmer. Sitzen uns gegenüber.

Chris schweigt. Er wollte doch reden!

»Chris«, sage ich nach einer Weile, »Hamide ist nicht in der Schule, ich mache mir Sorgen um sie.«

Wieder Schweigen. Ihn bedrückt etwas.

»Ich mache uns Tee«, sagt er, geht in die Küche und setzt Wasser auf. Ich gehe ihm nach.

Chris reicht mir zwei Tassen. »Frau Weißenbach, ich weiß gar nicht, wie ich anfangen soll. Es ist so viel zu sagen. Ich bin völlig am Ende. Hamide liegt vielleicht noch im Krankenhaus, und ich darf sie nicht besuchen. Und am schlimmsten ist, dass ich selbst an allem Schuld habe.«

Chris hantiert in der Küche. Endlich ist der Tee fertig. Wir setzen uns wieder.

»Hamides Vater«, sage ich, »hat dich mit ihr gesehen. Ist es nicht so?«

Chris nickt. »Aber nicht so, wie Sie vielleicht denken. Ganz normal, nichts war los. Ich wollte Hamide zum Eisessen abholen. Das hatte ich vorher auch schon getan. Ihre Mutter hat nie etwas dazu gesagt. Aber diesmal war der Vater daheim. Als ich an der Tür stand, hat er aus dem Wohnzimmer herausgerufen: ›Was will der da?‹

Hamide wurde ganz weiß im Gesicht. ›Oh, Chris!‹, hat sie gesagt und in das Zimmer hineingerufen: ›Darf ich mit Chris ein Eis essen gehen? Ich bin gleich wieder zurück!‹ Dann stand schon der Vater in der Tür. Ohne ein Wort mit mir zu sprechen, diskutierte er laut mit Hamide. Zuerst auf Deutsch. Hamide versuchte ihm zu erklären, dass ich in ihre Klasse gehe und dass er mich schon aus dem Theaterstück kenne, da hätte ich den türkischen Vater gespielt. Dann ging es auf Türkisch weiter. Manchmal habe ich das Wort Theater verstanden. Sonst nichts. Am liebsten hätte ich mich davongemacht. Aber ich glaubte, der Vater würde Hamide schlagen, wenn ich ginge. So bin ich einfach stehen geblieben. Ich war ganz leer, merkte gar nicht, dass Hamides kleine Brüder und ihre Mutter dazugekommen waren. Sie standen in der

Tür. Da zog die Mutter Hamide in die Küche und schlug die Tür vor meiner Nase zu. Dann bin ich erst gegangen. – Danach habe ich Hamide nicht wieder getroffen. Ich wollte sie nicht in neue Schwierigkeiten bringen.« Chris rührt im Tee.

Er will noch etwas sagen, aber ich unterbreche ihn. »Warum ist denn Hamide im Krankenhaus?«

Chris steht auf und schlägt voller Erregung mit der Hand auf die Stuhllehne.

»Das wollte ich gerade erzählen. Hamide hat Schlaftabletten geschluckt. Wenn man ihr nicht den Magen ausgepumpt hätte, wär sie gestorben.«

»Hamide!«, rufe ich aus, so als könne ich sie jetzt, wo es doch schon geschehen war, noch von diesem entsetzlichen Entschluss zurückhalten. Ich fühle einen tiefen Schmerz in mir.

»Woher weißt du das alles?«, frage ich Chris.

»Zufällig habe ich Murat, den kleinen Bruder von Hamide, im Supermarkt getroffen. Von ihm habe ich erfahren, dass Hamide im Krankenhaus liegt. Warum, hat er mir nicht gesagt. Da bin ich gleich zu ihr hingefahren. In diesem Augenblick war es mir einfach egal, ob mich ihr Vater sieht oder nicht.«

»Weiter!«, dränge ich Chris.

»Eine Krankenschwester hat mich in Hamides Zimmer geführt. Ich bin furchtbar erschrocken, wie ich sie so liegen sah. Sie sah müde aus. Sie hat mir die Hand gehalten und gesagt: ›Chris, wir dürfen uns nie wieder treffen, sonst muss ich zurück in die Türkei.‹ Sie fing an zu weinen und sagte unter Schluchzen: ›Ich wusste einfach nicht mehr, was ich machen soll, deshalb habe ich die Kopfschmerztabletten genommen, die auf meinem Nachttisch lagen. Mein Vater hat schon alles vorbereitet für die Rückreise in die Türkei. Ich soll bei meiner Oma wohnen, bis Achmed mit dem Militärdienst fertig ist. Dann muss ich ihn heiraten.‹

›Wer ist Achmed?‹, fragte ich, und sie antwortete leise: ›Das ist der Sohn eines Freundes von Vater. Ich kenne ihn gar nicht richtig, ich habe ihn nur einmal gesehen. Aber Vater ist jetzt unerbittlich. Er glaubt, dass unsere Landsleute schlecht über mich reden, weil ich mit einem deutschen Jungen auf der Straße gehe.‹

Ich stand wie vom Donner gerührt. Ich wollte ihre Hand fassen, aber Hamide drehte sich zur Seite, schloss die Augen und sagte nichts mehr. Ich glaube aber, dass sie sich doch über meinen Besuch gefreut hat, das habe ich gemerkt. Die Schwester ist dann mit mir aus dem Zimmer gegangen.«

Chris schweigt, aber er ist noch nicht zu Ende, das fühle ich. »Du hast noch nicht alles gesagt, Chris«, sage ich.

»Nein«, antwortet Chris, »es fällt mir so schwer, das Weitere zu berichten. Ich bin nämlich am Ende des Gangs Herrn Yilmaz begegnet. Als ich ihn kommen sah, konnte ich ihm nicht mehr ausweichen.

›Sie haben meine Tochter besucht‹, schrie er mich an, ›ich verbiete Ihnen das ein für alle Mal. Beleidigen Sie deutsche Mädchen, aber nicht türkische!‹

Die Schwester wollte ihn beruhigen, aber es gelang ihr nicht. Sie schob mich immer weiter zum Ausgang zu und dann war ich draußen im Treppenhaus.

Seitdem weiß ich nicht, was mit Hamide ist. In der Schule erzähle ich, sie läge wegen ihrer Kopfschmerzen im Krankenhaus. Meiner Mutter habe ich überhaupt nichts davon erzählt, sie sagt sowieso immer, ich soll mich nicht so viel um die Türken kümmern.«

»Du weißt also nicht, wie es jetzt um Hamide steht?«, frage ich Chris.

»Nein«, sagt der Junge fast tonlos.

»Chris, weißt du was, wir rufen jetzt sofort im Krankenhaus an und fragen, ob Hamide noch dort ist. Wir suchen gleich einmal die Telefonnummer heraus.«

»Hier ist sie«, sagt Chris, »ich habe nur nicht gewagt, dort anzurufen.«

Ich wähle blitzschnell die Nummer und frage nach Hamide.

»Seit einer Woche entlassen«, höre ich die Stimme des Pförtners sagen. Und schon wähle ich Hamides Nummer, die Chris mir unter die Hand schiebt. Niemand hebt ab. Ich versuche es immer und immer wieder.

»Wenn Hamide in die Türkei zurückmuss, habe ich die Schuld«, sagt Chris.

»Nein, es ist nicht deine Schuld, Chris. Ich bin schuld. Weil ich unbedingt wollte, dass Hamide zu uns gehört. Das war der Fehler.«

»Nun ist alles aus für sie«, sagt Chris, »alles. Sie wollte so gern Krankenschwester werden, stattdessen muss sie nächstes Jahr heiraten, einen Mann, den sie gar nicht richtig kennt. Da darf sie nicht mehr zur Schule gehen oder einen Beruf erlernen.«

Chris spricht erregt, und ich versuche, ihn ein wenig zu beruhigen. »Hamide ist ein kluges Mädchen, Chris«, sage ich, »vielleicht kann sie die Erfahrungen nutzen, die sie bei uns gemacht hat, für sich oder wenigstens für ihre eigenen Kinder. Aber ich glaube immer noch nicht, dass ihr Vater sie tatsächlich in die Türkei zurückschickt. Vielleicht ist das nur eine Drohung. «

Ich wähle noch einmal Hamides Telefonnummer. Es meldet sich niemand.

»Wir versuchen es morgen von der Schule aus, Chris, du kommst doch morgen wieder?«

Bevor ich nach Hause gehe, biege ich in die Straße ein, in der Hamide wohnt. Auf mein Klingeln an ihrer Haustür öffnet niemand. Ich merke, wie sich der weiße Vorhang hinter der Fensterscheibe bewegt. Es muss jemand zu Hause sein.

Dr. Stock erwartet mich am nächsten Morgen vor der Tür des Lehrerzimmers.

»Sie haben sich doch immer so sehr um Hamide gekümmert«, spricht er mich an. »Dann wissen Sie wohl schon alles?«

Tatsächlich, ich weiß plötzlich genau, was er mir sagen will, will es aber nicht hören, nicht von ihm.

Aber er sagt es trotzdem: »Ihre ganze Mühe war umsonst, liebe Frau Kollegin. Heute früh hat sie ihr Vater von der Schule abgemeldet, ganz einfach abgemeldet. Sie ist nicht mehr in Deutschland, ist bereits gestern nach Istanbul abgeflogen.«

dtv pocket plus
Bücher für junge Erwachsene

Band 78054

»...Ben zum Beispiel. Ben hält sich für den Größten. Für den Einzigen. Für das Nonplusultra. Rotzt sein Selbstbewusstsein in alle Ecken, dass einem nur schlecht werden kann, und trotzdem bin ich verrückt nach ihm. Warum, weiß ich nicht ...«

Liebe – was denn sonst?! Geschichten, die zur Sache gehen: frech, schnoddrig, direkt ...

Band 78075

Es gäbe im Ort so gut wie keine Ausländer und damit – so folgert der Bürgermeister der biederen deutschen Kleinstadt – auch keinen Fremdenhass. Und doch brennt eines Nachts ein von Türken bewohntes Haus, nachdem der 15-jährige Marco dort Feuer gelegt hat.

Kirsten Boie lässt zu diesem Vorfall 13 Personen aus Marcos Umfeld zu Wort kommen und stellt deren Aussagen unkommentiert nebeneinander.

dtv pocket

Band 78152

Katta sitzt im Knast – und das mit 16! Mit ihrer Clique hat sie eine Tankstelle überfallen und dabei den Tankwart angeschossen. Elf Monate muss sie absitzen – es ist kaum auszuhalten. Nur einen Lichtblick gibt es: Sie darf an einem Internet-Kurs teilnehmen und chatten. So lernt sie Judith kennen, die nicht weiß, dass Katta ihr aus dem Knast mailt. Judith will Katta unbedingt besuchen ...

Band 78153

Jan hat sich nie richtig wohl gefühlt in der Rolle als angehender Erbe des Sennebergschen Familienbesitzes. Auf einer Klassenreise nach London macht er eine Entdeckung, die sein Leben verändert: Die Druckerei, das Haus, der ganze Wohlstand – das gibt es alles nur, weil vor 60 Jahren die Juden verfolgt worden sind und Simon Reich auf der Flucht vor den Nazis alles zurücklassen musste ...

dtv pocket pur

Band 78155

Der 14-jährige Tex lebt allein mit seinem älteren Bruder Mason. Die Mutter der beiden ist tot, der Vater treibt sich als Rodeoreiter herum. Gewalt und Kummer prägen seinen Alltag. Menschen, an denen ihm etwas liegt, gehen weg. Erst als er bei einer Schießerei schwer verletzt wird, begreift er, was wirklich wichtig ist im Leben, wer zu ihm gehört und was es heißt, jemanden zu lieben.

Band 78156

Das Abitur steht an – der Ernst des Lebens rollt erbarmungslos auf Louise zu. Ihr Motto heißt »nur nicht spießig werden« – und schon fangen die Probleme an: Louise verliebt sich unsterblich in Anders, den Jungen vom Land, Marke Naturbursche. Sie planen schon den »nächsten Sommer«, die Tage nach dem Abitur. Da taucht der Maler Greger auf – ein interessanter, aber mindestens doppelt so alter Mann ...